日本維新論

―どうする日本―

鳥居原 正敏
TORIIHARA MASATOSHI

日本維新論
－どうする日本－

「どうする日本」・序……………………………………………………5

第１編
将来ビジョン（国家像）

第１章　どんな日本にしたいのか（その前提）……………… 10
第１節　ビジョン考察の前提……………………………………… 11
第２節　戦後の正の遺産を活用し、負の遺産を清算する………… 16

第２章　目標とする将来ビジョン（国家像）……………… 20
第１節　ビジョン考察の前提から………………………………… 20
第２節　将来ビジョン（国家像）………………………………… 22
第３節　“国民総幸福度指標”を考える ………………………… 25
第４節　“国民公共経済計画”を作成する ……………………… 29

第２編
日本維新論

第１章　政治の維新…………………………………………… 34
第１節　「誰が国を想うのか」…………………………………… 34
第２節　「公平な“一人一票”の価値を確保し、真の代表民主制の基盤を保障する」 ………………………………………… 38

第３節　「衆愚におもねるマスメディアでなく、市民を育てるジャーナリズムとなれ」…… 43
第４節　「明治維新後１世紀半、新しい地方制度を構築し、地域活性化を推進する」…… 48
第５節　「自分の国は自分で守る」…… 53
第６節　「外交の基本スタンスを明確にし、マルチ外交で世界に貢献する」…… 57
第７節　「統治機構の維新を行うとともに、憲法を実質的に機能させる」…… 63

第２章　経済の維新…… 70
第１節　「新しい経済視点で経済政策を維新する」…… 70
第２節　「土地は誰のもの、土地の所有権を公共の福祉のため一定の範囲で制限する」…… 75
第３節　「民主国家では、国民が行政に求めるサービスを決め、そのコストは税金等で国民が負担する。当たり前のこと」…… 82
第４節　「企業は、資本主義社会の担い手であり、健全な経営と社会的使命を果たす」…… 90
第５節　「何のために働くのか、パンのみではない。これからは労働の量よりも質の問題が重要である」…… 97
第６節　「公正で将来の予測可能性の高い情報を提供し、消費性向を増大し、個人消費、企業投資を喚起する」…… 104
第７節　「規制産業分野に競争原理を導入し、高コスト構造を破壊する」…… 110
第８節　「官民協調し、集中した技術開発等を推進し、IT 産業等後進した産業競争力を回復し、将来産業を育成する」…… 119

第３章　社会の維新…… 125
第１節　「世界のモデルとなるような高齢化社会を目指す」「少子化対

策は“家族対策”であり、その源泉は国民の“幸福感”に起因する」……125
第2節 「深く静かに醸成される格差社会、あらゆる方法でこれを除去し、流動性のある社会、そして最大多数が“夢”の持てる社会を確保する」……130
第3節 「まず、隣人を愛し、地域コミュニティの活性化を図り、多くの人が日常の“幸せ感”を持ちうる健全な市民社会を実現する」……140
第4節 「国民の“教育”は、まさに国造りそのもの、国のビジョンなくして真の“市民教育 は行い得ない」……147
第5節 「21世紀グローバル世界で伍していくためには、民族の国際化が必須、同質性の強い日本人が如何に国際化していくか。いや、しなければ」……154
第6節 「犯罪はその時代と社会を映す。その量もさることながら質が問題、迅速な裁判と犯罪発生防止に有効な刑罰が必要だ」…162

あとがき……170

「どうする日本」・序

今、日本は第二次大戦（太平洋戦争）後、4分の3世紀（75年）を過ぎた。

これは、日本が約150年前「近代国家」となった明治維新から今日までの期間の後半である。この前半と後半の日本の“国家像”は全く異なるものとなった。

敢えて言えば、「帝国主義国家」から「民主平和国家」となったと言えるか。

太平洋戦争後、敗戦、廃墟から立ち上がり、先進諸国に追いつき追い越せ、先進国の仲間入りをし、そして平成・令和時代となり、成熟停滞した経済と少子高齢化、醸成する格差社会 —— そしてそこにある国家安全保障の危機の時代。

この75年間、「日本のビジョン」を国民全体で考えたことがあるだろうか。

戦後の国家ビジョンは、占領軍マッカーサーの残した言わば“輸入”憲法にあるとも言える（ある意味で「軍国主義日本」の再生を防ぐ理念的、理想を掲げた憲法）。

しかし、国民全体の議論を伴わない「理想憲法」、これが、その後75年を経過し日本を取り巻く内外の環境が全く様変わりした今日、「日本のビジョン」と言えるだろうか。

憲法は、国民総意の「国家ビジョン」があってこその“憲法”である。

世界は、あらゆる面でグローバル化し、また新しい文明競争の時代に入った。

日本も、新しい“国家像”を求め、国民全体で議論し、「国家ビジョン」を作成し、勇気を持って根本的な政治、経済、社会あらゆる面での国家改革“日本維新”を行わなければ、「衰退する国」とならざるを得ないだろう。

人類は有史以来、紆余曲折、試行錯誤しながら進歩、発展している。

政治体制では、無政府主義、貴族政治、全体主義、民主主義等、経済体制では、自由経済、計画経済さらに資本主義、共産主義等 —— そして現在の最後の“知恵”が「(代表) 民主主義」と「自由 (市場) 経済」である。故に今、世界の大半の国が、何らかの形で (代表) 民主主義と自由 (市場) 経済を国の基本システムとしている。

日本も、(代表) 民主主義と自由 (市場) 経済が国の骨格を成す社会システムである。

何故に、これらのシステムが人類の最後の“知恵”となっているのだろうか。

個人 (権) を尊重し、自由 (freedom)、公平 (fairness)、公正 (justice) に価値を置き、「最大多数の最大幸福」を最終目的とするからである。

しかし、これらのシステムが本来の理想どおりに機能するためには、“前提”がある。

例えば、民主主義では「一人一人が“市民”としての自覚と知識を持ち、そして一人一人が平等な参政権を持つ」—— 市場経済では「市場機能に不必要な規制がなく、需要と供給サイドが同等な条件であること、さらに公平で公正な競争社会を確保するため、経済社会に既得権的な構造格差がないこと」などである。

だが、現実には世界各国とも、これらのシステムが十分に機能していない。いや、むしろ低下、歪曲されている。そして最終目的である「最大多数の最大幸福」は達成されていない。

ここに現代人類社会の問題の根源がある。

このグローバル化した21世紀、世界、日本も「衰退する国」でなく生き残り、「持続発展する国」となるためには、出来るだけ早く、国民総意に基づく「**国家ビジョン**」を作成し、この実現に向かって、人類の最後の“知恵”を本来通りに機能させる「国家(日本)改革」(“日本維新”)を断行し、持続発展する「新しい日本」への道に歩み出さねばならない。

以下、“将来ビジョン(国家像)”の概要を描き、そのための“**日本維新**”を、政治(7話)、経済(8話)、社会(6話)の各分野にわたって具体的に提案したい。

新百合ヶ丘にて

第一編

将来ビジョン

（国家像）

第1章

どんな日本にしたいのか（その前提）

国のビジョン、“国家像”とは何であろうか。

江戸時代以前、その時々の支配層にはそれなりの“国家像”があったかもしれないが、国民全体が認識するものは明治維新以降のことであろう。

鎖国をやめ、列国に伍して世界に出ていくためには、殖産興業、富国強兵、天皇を中心とした立憲国家である必要があった。そして敗戦 —— 全ての価値観の転換を迫られ、特段の“国家像”を描くことなく経済立国日本を目指し経済成長に邁進した。経済大国となり、そしてこの30年、不動産バブル、ITバブルとバブル経済を経験し、平成デフレ不況、そしてパンデミックが訪れた。

戦後75年間、国のビジョンを考える視点は一貫して“経済成長率”であった（平成17年の経済財政諮問会議の「日本21世紀のビジョン」の視点もほとんどが経済成長に焦点が当たっている）

今や、世界は政治・経済・社会あらゆる面でグローバル化し、一国のみで存立することはできない。さらに、自然災害、感染症と人的要因以外の不確実要因も増幅している。

日本は一見、「安寧、安定した社会」となっているが、少子高齢化社会、格差社会の形成、自主防衛への道は必然となっている。言わば“Risk in the Silence”の状態だ。

二千年有余の歴史を持ち、単一民族そして独特な文化と言語を有する東アジアの島国「日本」、これから「どういう国になるのか、したいのか」

どうする日本！

第１節　ビジョン考察の前提

ビジョン考察には、まず「今日の日本と日本人」についてあらゆる視点で確認、認識しておくことが前提となる。

1. 地理的、自然的前提
・周囲を全て海に囲まれた“島国”であり、陸続きの国境線がない
・天然資源、食料の種類は多いが、量的に圧倒的資源小国である
・地震、台風、豪雨と自然災害が多い（世界の活火山の７％が日本領域にある）
2. 民族の特質
・極めて homogeneous（同質性）な民族であり、宗教心は強くない（神道と外来宗教の共存）
・本来は農耕民族的であり、自然を恐れ、自然を愛し、自然と調和しようとする
・その言語、文化は世界の中でかなりユニークである（起源は外来のものが多く、それをうまく“日本化”し、独自のものを形成している）
3. 歴史的事実
・貴族政治、武家政治そして民主政治と変遷したが、常に天皇の存在があった
・2000 年有余の歴史で自主的外交（他国との交わり）を積極的に行った経験は少ない（島国の環境、鎖国政策などによる）
・同質性の強い社会であり、社会の大きな変化は“外圧”によることが多い（明治維新、太平洋戦争敗戦など）
4. 構造的現状
・フローベースの経済（GDP）は低成長時代（０～２％）からマイナス経済成長へ（内需飽和経済さらに内需縮小経済の到来）
・少子高齢化社会の進展と人口減少の必然化（現在の出生率が変わらなければ 2050 年で１億人を切り、計算上は 2100 年で 5000 万人と

なる）

・経済面の格差が社会に醸成され、「機会の格差」、「階層の固定化」が形成され始めている。

・戦後、社会の価値観は多様化し、社会全体に「今だけ、金だけ、自分だけ」の風潮が蔓延してはいないか

・「自分の国は自分で守る」という自主防衛の必然性は急速に高まっている

そして、世界はポピュリズムの蔓延、自国主義の台頭、民族、宗教、文化対立の慢性化のなかにある。

さて、ビジョン考察に当たって、さらに次の２つの視点を念頭に置く必要があろう。

１つの視点は、日本と日本人の長所を生かすということである。

（日本と日本人の長所）

・陸続きの国境がないので、現実で差し迫った国境紛争は少ない。また難民流入の可能性も少ない（但し、周辺国の“覇権主義”、“報復思想”の存在は重要な懸念課題）

・“山国”故の森林資源と多雨による水資源の豊富さがあり、「海の幸」、「山の幸」そして米作と食の種類は極めて豊富であり、木と紙による木造家屋は世界一級品である

・同一性を持つ単一民族で、民族、宗教による内在的対立要因がない（“和”を重んずる）

・異文化に対し、これを一概に排除することなく、うまく改変し「日本化」する能力に長けている

・勤勉（真面目）、清潔、時間厳守等。そして礼節を重んじる（精神文化“武士道”に通じる）

次の視点は、若い世代の“幸福感”を認識しておく必要がある。最終的には“個人”が幸せであればよいのだから。

（40 歳の男性に、“幸せ感”を聞くと）
・食べているとき、寝ているとき、恋しているとき
・仕事を終えて、心おきなく帰宅する金曜日の夜
・家族と団らん、気の置けない友人と酒を飲みながら談笑するとき
・目標を持って向上し続けられること、それが世間的に認められるとき
・日々平穏に暮らし、将来に希望を持って生きられること
　などなど

すなわち、「戦争のない“平和な社会”で、身丈にあった“経済的かつ精神的豊かさ”を実現し得る、“公正で公平な社会”基盤」が前提となることは言うまでもない。

表１ 「日本21世紀ビジョン」における経済の姿・指標

項　目	【目指すべき将来像】・【２０３０年の経済の姿】	担当 WG
実質 GDP	成長率は1% 台半ばの伸びを維持。	経済財政展望
一人当たり実質 GDP	一人当たり実質 GDP は2% 程度の伸び（人口減少分だけマクロより高い伸び）。	経済財政展望
労働力率	高齢者などの労働力率の高まりが、生産年齢人口（15 歳～ 64 歳）の減少を一定程度相殺。 60 歳以上の労働力率は 2005 年 28% 程度が 2030 年には 32% 程度に上昇。特に、60 ～ 64 歳の労働力率は 2005 年 54% 程度が 2030 年には 65% 程度に上昇。	経済財政展望
労働生産性	設備投資を通じて資本装備率 の伸びがやや高まるとともに、技術革新や資源配分の効率化により、全要素生産性の伸びは現在よりも高まり、1990 年以降の平均程度の伸び（１%弱程度）になると見込まれる。その結果、労働生産性は 2021 ～ 2030 年においても 2%強上昇。（労働生産性 = 資本装備率 + 全要素生産性）。	経済財政展望
経常収支	経常収支黒字は GDP 比で緩やかに低下するものの、黒字を維持。 好調な内需を背景に輸入が増大し、財・サービス収支は、赤字に転じる。所得収支の黒字は GDP 比で拡大する（中国をはじめとする東アジアへの直接投資の拡大から生じる収益の拡大（「投資立国」））。	経済財政展望
貯蓄投資バランス	家計部門は高齢化に伴う貯蓄率の低下により黒字幅が縮小。法人部門も投資が堅調に伸びることに伴い黒字幅は大幅に縮小。政府部門は赤字幅が縮小。	経済財政展望
産業の姿（産業別 GDP）	世界的にはアジアの製造業の生産の伸びが高い（年率 6.1% 程度）が、日本の製造業も高い生産性の伸び（同 2.8% 程度）に支えられて増加（同 0.8% 程度）。非製造業は、所得の増加がサービス需要を伸ばすことから、製造業を上回り増加する（同 1.5%程度）。産業別のＧＤＰに占める非製造業の割合が上昇（製造業は 2000 年の約 24%から 2030 年には約 20%、非製造業は、2000 年の約 76%から約 80%）。	競争力
就業構造（労働所得ベース）	製造業がイノベーションを反映し、より労働節約的になるため、非製造業の雇用に占める割合が増大（製造業は 2000 年の約 20%から 2030 年には約 9%、非製造業約 80%から約 91%）。	競争力
コンテンツ市場	日本のコンテンツ市場（アニメ、映像、音楽、ゲーム、メディア等）は、2030 年には国内総生産の 5% 規模（現在のアメリカ並み）を見込むことができる（年率約 6.7% の成長）。	競争力
外国人旅行者	2030 年には日本を訪れる旅行者が約 4000 万に達する可能性がある（2004 年の訪日旅行者数は 614 万人。イタリア（2002 年）が約 3980 万人）。	グローバル化
健康寿命 80 歳	超高齢化の時代にあって、「健康寿命 80 歳」の人生が実現する（2002 年は 75 歳（男女の単純平均））。	生活・地域
可処分時間	自由に活動できる時間（可処分時間）が１割以上増え、「時持ち」になると見込まれる。 （2030 年の労働者の生涯可処分時間は、健康寿命の延長、61 歳～ 65 歳の労働時間をパートタイム並み、大学院等へ２年在学という仮定をおいて試算すると、2002 年時点に比べて約 12%増加すると見込まれる。）	生活・地域
大学院在学者	多様な年齢層において大学院で学位を取得する人が増え、大学院在学者数（人口比）が現在のアメリカ並みの水準となると見込むこともできる。 （日本では人口 1000 人当たりの大学院在学者数が 2004 年の 1.99 人（公式統計に通信教育による大学院在学者数を加えて算出）から 2030 年には８人へと見込むこともできる。2000 年のアメリカの数値は 7.66 人。）	生活・地域
住宅面積	人生設計に合わせた住み替えが容易となると同時に、一人当たりの居住空間も十分確保され、借家の広さについて現在の持家並みを見込むこともできる 。 （2030 年の関東大都市圏の４人家族の借家１戸当たりの平均延べ面積を 100 ㎡程度と見込むこともできる。（1998 年の全国の４人家族の借家１戸当たりの平均延べ面積は 59 ㎡、2003 年の関東大都市圏の持家１戸当たりの平均延べ面積は 104 ㎡））	生活・地域

出典：内閣府　経済財政諮問会議　平成 17 年４月　p.3 ～ 4

表２　日本の国土と同じくらいの広さの国

国	面積（10000km^2）	人口
日本	37.8	1 億 2536 万
ドイツ	35.7	8319 万
コンゴ共和国	34.2	538 万
フィンランド	33.8	551 万
マレーシア	33	3270 万
ベトナム	32.9	9762 万
フランス	54.4	6706 万
イタリア	30.1	6046 万
イギリス	24.3	6680 万
ニュージーランド	27.5	504 万

出典：外務省ホームページ

表３　2020 年７月１日現在の人口密度（１平方キロメートルあたりの人数）

国名	人口密度（1 平方キロ）
モンゴル	2.1
オーストラリア	3.3
カナダ	4.2
ロシア連邦	8.9
アメリカ合衆国	36.2
中国	153.3
ドイツ	240.4
イギリス	280.6
日本	346.9
インド	464.1
オランダ	508.2
大韓民国	527.3
シンガポール	8357.6

出典：国際連合　世界人口の見通し（2019 年）

第2節　戦後の正の遺産を活用し、負の遺産を清算する

戦後4分の3世紀、荒廃した敗戦国から経済大国として先進国の一角をなすにまで成長した日本、その過程で多くの遺産を形成した（“正の遺産”と“負の遺産”がある）。

これは、1億3000万国民の努力の成果と責任である。

21世紀、今後の我が国ビジョンを考察するにあたっては、蓄積した正の遺産を有意義に活用し、負の遺産を真摯に認識し、これを清算することが1つの“カギ”となろう。

（正の遺産）

まず、経済的な量的数値で見てみよう。

- 国富 ―― 国の資産残高1京500兆円、正味資産3400兆円、対外純資産3兆ドル超
- 1兆3000億ドルの外貨準備（中国3兆1000億ドル、スイス8000億ドル、サウジ5000億ドル、台湾5000億ドル）
- 1億3000万人の人口と520兆円のGDPを生み出す生産能力
- 1800兆円（18兆5000億ドル）を超える個人金融資産（米国85兆4000億ドル、ドイツ6兆3000億ユーロ）

そして、質的な政治社会的な面では、

- 経済大国として、主要な先進国の一国となった
- 憲法で“専守防衛”を明確にし、同時にこれを担保した“日米安保体制”が形成された
- 婦人参政権の実現、家督・戸主権の廃止など政治社会の民主化がなされた
- 民主化教育が確立し、国民全体の教育レベルが一層向上した

（負の遺産）

・太平洋戦争で日本が進出した中国、韓国（及び北朝鮮）等の国々の“負”の歴史認識は根深い
・“自主防衛”認識の希薄化により、「国防、安全ノー天気」の国民的風潮
・個人主義（あるいは利己主義）が行き過ぎ、家族価値の喪失などによる「今だけ、金だけ、自分だけ」の風潮が蔓延
・“輸入”民主主義、政党政治の硬直化、積み重なった世襲議員の蔓延などにより、国民の政治離れ（代表民主制の喪失）
・国富（国の負債）7100兆円、国と地方の長期債務残高1100兆円（GDP比200％）

いずれにしても、戦争で多くの人命と財産を犠牲にし、そしてその後、国民の血と汗の努力で蓄積した遺産、“正”を長じ、“負”を正し、これからの“国家像”を形成していくことが肝要である。どうする日本！

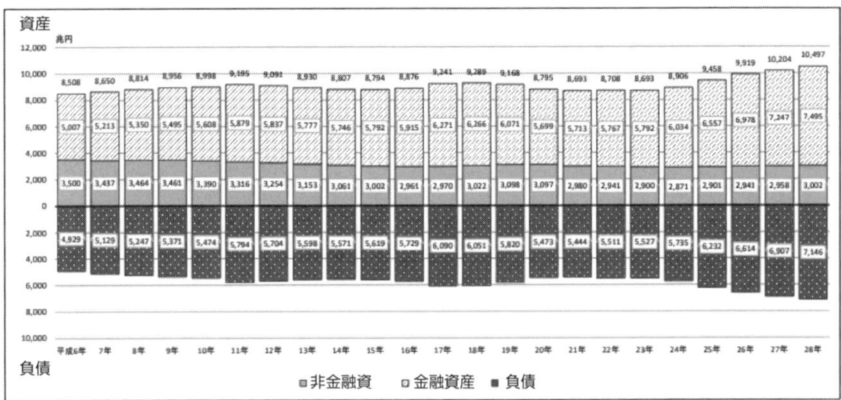

出典：内閣府経済社会総合研究所　国民経済計算部 2019 年度（令和元年度）国民経済計算年次推計

図１　国民資産・負債残高の推移

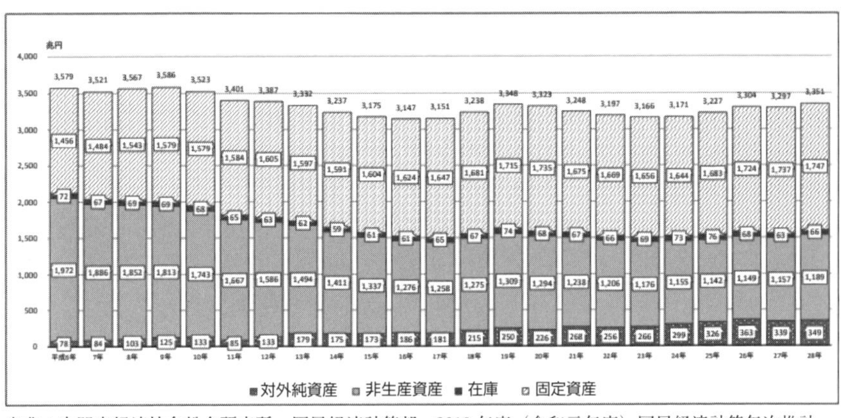

出典：内閣府経済社会総合研究所　国民経済計算部　2019 年度（令和元年度）国民経済計算年次推計
令和 3 年　p.4

図２　正味資産（国富）の推移

【参考】　各国の対外純資産

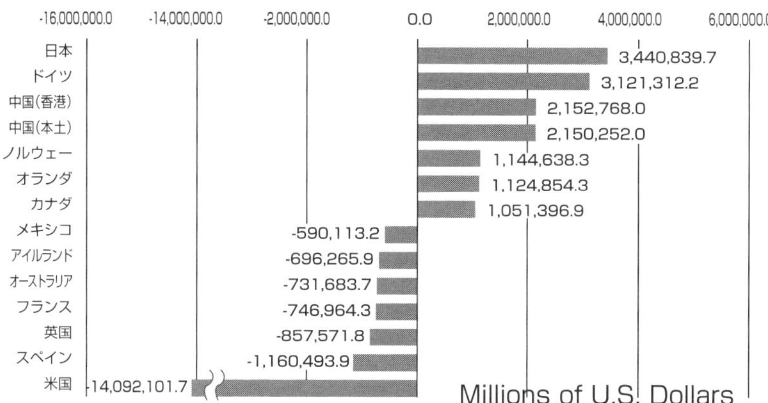

出典：一般財団法人　土地総合研究所　リサーチ・メモ　国民経済計算からみる土地資産額の動向（大越利之）　p.3

図3　各国の対外純資産

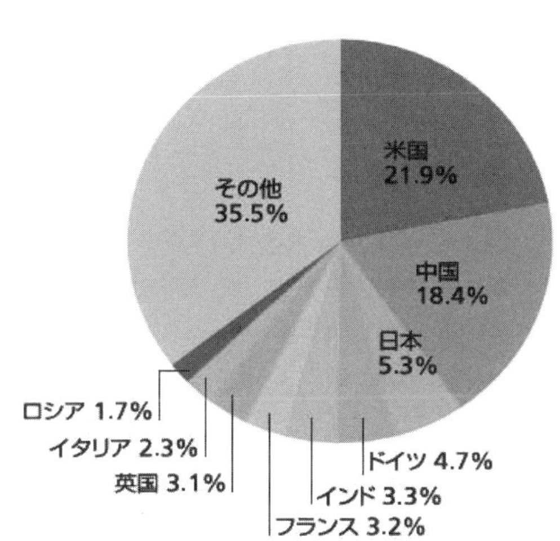

出典：世界経済勢力図の現在・過去・未来　三尾 幸吉郎　基礎研REPORT（冊子版）2018年8月号　ニッセイ基礎研究所　p.5

図4　世界の名目 GDP・名目 GDP シェア 2022 年

第2章
目標とする将来ビジョン（国家像）

第1節　ビジョン考察の前提から

前章の「前提」さらに「遺産」から導き出されることは、

（地理的・自然的前提、民族の特質、歴史的事実さらに構造的現状から）

・「島国」の地理的条件は、国の安全保障にとってほとんどその有意性を持たなくなった（人的、物的自主防衛力が不可欠である）
・食料、エネルギー、天然資源の確保を“外”に求めざるを得ない（自給率を上げるには限界がある）
・日本人の国際化にはかなりの時間を要する。極めて困難であろう（民族の同質性、言語の特異性など）
・“外圧”に頼らず、「内からの市民による」改革エネルギーがどれだけあるかが、大きなカギを握る
・量的内需はほぼ飽和社会となりつつあり、人口の減少は必然である
・「個人尊重社会」と共に「いつでも、どこでも」、「より早く、より便利」そして「省力化とヴァーチャル」な本格的な情報技術（IT）社会が到来する
・「格差社会」が醸成され、早く抜本的な対策をとらないと「階層の固定化」が定着してしまう

（日本と日本人の長所から）

・民族の内在的対立のない間に、公正な代表民主政治で選出された良きリーダーの下で「将来の日本」へ向けて国民エネルギーを集中できる可能性はある
・外的要因による変化に対応する能力は高いものがあり、これにより将来の不確実な自然環境、世界情勢に適応する蓋然性は高いと思わ

れる

・豊富な水資源、食材の種類、食の文化をセールスポイントにしない手はない
・まじめで礼節を重んずる日本人の性格で外国人に接すれば（思いやり、おもてなし等）、市民レベルで友好国を維持、増加させることは可能だ

（戦後の正と負の遺産から）

・平均教育レベルの高い国民全体で、無駄のない人的資源の活用を図る
・蓄積した金融資産（個人金融資産、企業内部留保、外貨準備）を国民全体の「国富」として考え、経済財政運営に有効に活用する
・「自分の国は自分で守る」という“自主防衛”意識を国民全体で醸成する
・民主政治（民主主義）は国民（市民）一人一人が責任主体であることを認識する（いかなる理由によっても国民の“政治離れ”は、民主主義の死滅である）

第2節　将来ビジョン（国家像）

世界は、あらゆる面でグローバル化しているが、国家の独立と国家主権を尊重することが前提であれば、最終的には「自国中心主義」、「国益優先主義」が各国の最終目的となる。

一方、国連の機能は第三次世界大戦でも起きない限り抜本的に強化されない（“世界政府”とまではいかないまでも“世界平和維持軍”の創設、安全保障理事会の改革等）。

ならば、各国は自国の勢力を拡大するのでなく、「身丈にあった（自国の実力にあった）」国民一人一人の繁栄を目指した国づくりを行えばよい。

言わば、それぞれの国民の「**最大多数の最大幸福**」を目標とする。

そして、各国の特徴を生かし、「世界人類の最大多数の最大幸福」を念頭に国際貢献することを考える。

前節で考察した諸点を念頭に置いて、日本の“将来ビジョン”を描いてみると、

（目標とする将来像）

1. **日本の所与の条件（地理的、自然的、民族的、歴史的）からして、“5000万～8000万人”国家でよい（江戸時代は、3000万人国家で適正な庶民文化と社会が繁栄した）**
2. **経済的繁栄は、国民1人当たりの所得を最大化することを目指し、その分配は“最大多数の最大幸福”を指針とする**
3. **あらゆる面で格差のない、差別のない社会を形成し、公正で公平な競争基盤を確保する**
4. **国民一人一人が平等な政治参加のできる仕組みを担保し、真の代表民主制を実現する**

5. 自然災害に対応し、常にライフラインの安全と近代化を向上させる
6. 日本的価値（“和”、“思いやり”、“真面目”、“礼節”、“清潔” など）を尊重する社会を目指す
7. 自主防衛力を確保し、そして戦争に近づかない（“非核化政策” が維持できるか）
8. アジアの平和と繁栄を目指した外交を重視し、日本の特異性（例えば、唯一の被爆国、アジアの早期先進国など）を生かしたマルチ国際貢献を行う

なお、これら“国家像”を実現するためには、必要な「憲法改正」は躊躇なく行えばよい。

さあ、どうする日本！

表4 「人口6000万～8000万程度の国」2020年7月1日現在

国名	人口（1000人）
トルコ	84,339
イラン	83,993
ドイツ	83,784
タイ	69,800
イギリス	67,886
フランス	65,274
イタリア	60,462
タンザニア連合共和国	59,734
南アフリカ	59,309

出典：国際連合

第３節　“国民総幸福度指標”を考える

世界の国々は、先進国、発展途上国を問わず、過去、GDP（国内総生産）という経済指標を唯一の国家発展目標として、この増大に邁進してきた。

しかし今、経済成長を成し得ても、人間が“幸福”になり得るのか、何か忘れたもの、欠けたものがあるとの認識がなされ始めている。

具体的な例を２つ挙げれば、

1. 国連開発計画の“人間の豊かさ（HDI）指数”

国の開発の度合いを測定する指標として、１人当たり GDP、平均寿命、就学率を基本要素とした指標の開発が提唱されている。

この指数によれば、2018 年時点で１位ノルウェー、２位スイス、３位アイルランド、４位香港、５位ドイツ、６位オーストラリア、そして日本は 19 位である。

2. 小国ブータンの“国民総幸福量（GNH）”

ブータン政府は、GNH は４つの柱で成り立っているとしている。

すなわち、公正な経済社会発展、環境の保全、文化保存、よい政治、の４つである。

GNH 社会とは、経済発展も大切だが、国民の間に大きな生活格差をもたらすことのないようにし、生態系を守り大切にし、社会の文化を大切にして、人々が意思決定に参加できるような政治の仕組みを持つ社会、である。

戦後、GDP 一辺倒で来た今日、「国民が失ったもの、忘れたもの」（例えば第１章第２節（負の遺産））、さらに、先進資本主義国家共通の過剰な競争社会が生み出した格差社会、拝金主義による人間関係の冷たさ、高い離婚率と家庭の崩壊、短期の結果を求める短視性と軽薄性など顧みれば、「国民の幸福度」を考察するに当たって有益であろう。

（“国民総幸福度”指標を開発する）

「最大多数の最大幸福」が国家像の最終目的であると考えれば、“幸福度”も個人の日常生活が「平和で、安寧な豊かな生活」を最大多数が達成することを念頭に置けばよい。

また、時代は成長経済から安定経済へ、“モノ”から“ココロ”へと変遷している。

「モノ」― １人当たり GDP を念頭に置きつつ

・豊富な選択度、良質度、利便度、環境満足度　など

「ココロ」― 心の幸せを念頭に置きつつ

・安全・安心度、ゆとり度、自由度、長寿度、知的度、そして感動と生きがい

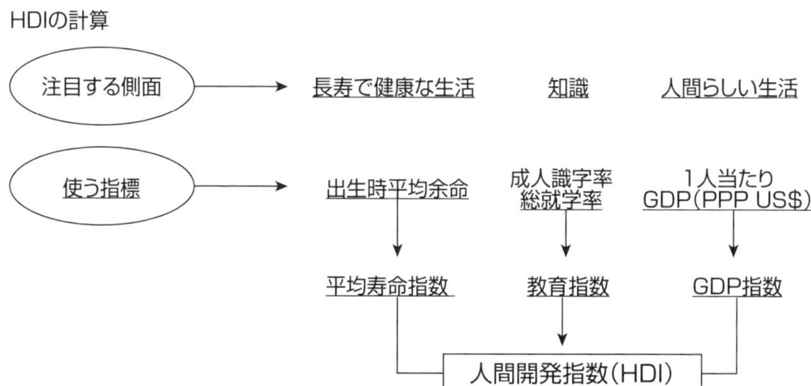

出典：国連開発計画(UNDP)「人間開発ってなに?」2003年7月　JICA　p.9

図５　人間開発指数 (HDI) とは

【GNHの4本柱】

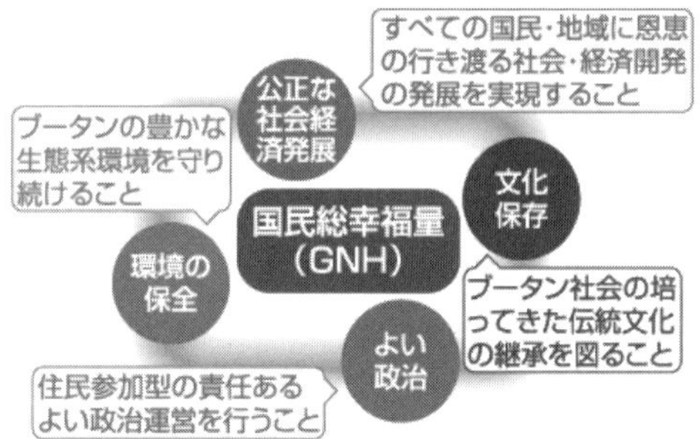

【GNH指数の9領域と4本柱の関係性】

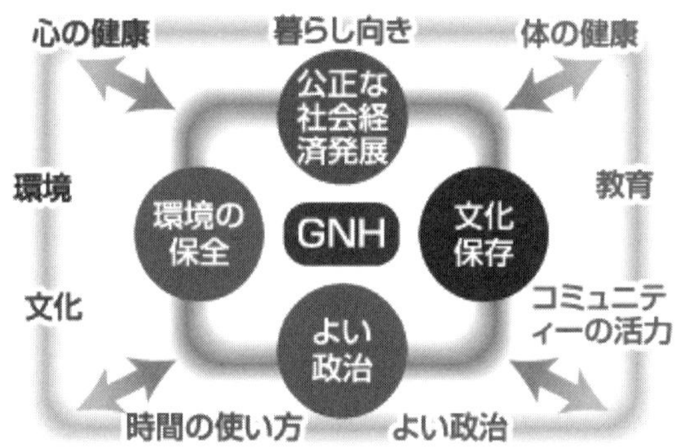

【ブータンのGNH指数】
（2008年）

	GNH 指数
暮らし向き	0.814
体の健康	0.855
心の健康	0.772
教育	0.548
環境	0.713
文化	0.852
時間の使い方	0.970
コミュニティーの活力	0.838
よい政治	0.880
総合	0.805

出典：imidasホームページ　草郷孝好（関西大学社会学部教授）　2010年4月2日

図６　ブータンの「国民総幸福量（GNH）」とは何か

第４節　“国民公共経済計画”を作成する

自由主義経済は、市場メカニズムが完全に機能することを前提としている。

しかし、現実の社会では外部不経済（環境汚染等）、内部不経済（安全等）の存在、不確実性の存在など、“市場の失敗”により、市場が最適資源配分を達し得ない。

また、市場による所得配分は、必ずしも公平性という社会的倫理基準を満たすとは限らない。

20世紀末から日本を含め主要先進国で尊重された“新自由主義”（人間が経済的に自由になれば、社会の利益を最大にできるという考え方）の蔓延により、市場メカニズム至上主義の弊害があらゆる面で噴出している（格差社会の形成、地球温暖化、自己中心の考えなど）。

この市場の失敗・弊害を補完し、是正するため「公共経済部門」の介入が、今世界で重要な課題となっている。

我が国も、将来の“国家像”を踏まえた「国民公共経済計画」の作成が将来ビジョンの大きな柱の１つである。

その際、次の２点を念頭に置く必要がある。

1. 社会資本の老朽化

高度成長期以降に整備された道路橋、トンネル、河川、下水道、港湾等について、今後20年で建設後50年以上を経過する施設の割合が加速度的に高くなる（2033年で、道路橋63％、トンネル42％、河川管理施設62％、下水管21％、港湾岸壁58％）。

2. 自然災害に負けない「防災強国日本」を構築する

日本は世界の中で、国土は0.3％、人口は２％を占めるに過ぎないが、

1900 ～ 2011 年の自然災害発生件数は、地震・津波で 18.5％、その他自然災害で 7.2％を占めている。

また、世界の活火山の７％が日本領域にある。

（将来ビジョンを踏まえた社会資本整備）

国民の“総幸福度”を最大化するための社会資本整備の視点は、

・安全・安心（防災、危機管理、バリアフリー）

・環境（リサイクル、都市緑化、新エネルギー、情報通信インフラ）

・文化活動（観光、文化財、図書館、スタジオ等文化施設）

・地域活動（コミュニティ施設、公園等町の広場）

表５　主要国における社会資本、社会保障、国民生活の比較

	日本	アメリカ	ドイツ	フランス	中国	インド	ブラジル	ロシア
社会資本								
鉄道営業キロ（1,000km 2017年）	27.9	151	33.5	29.2	67.3	67.4	29.8	85.5
道路舗装率（% 2015年）	100	66.3	100	100	72.1	61.1	13.5	70.6
発電量（10億 kWh 2015年）	1,041	4,317	647	568	5,815	1,354	581	1,068
病床数（1,000人当たり 2014年）	12.3	2.8	6	6.3	2.8	0.7	2.2	8.9
医師数（1,000人当たり 2015年）	2.4	2.6	4.2	3.2	3.6	0.8	1.9	4
移動電話契約台数（100人当たり 2017年）	133.6	120.7	133.6	106.2	104.3	87.3	113	157.9
インターネット利用者割合（% 2017年）	90.9	75.2	84.4	80.5	54.3	34.5	67.5	76
社会保障								
社会支出（対 GDP 比 % 2018年）	21.9	18.7	25.1	31.2	-	-	-	-
医療費支出（対 GDP 比 % 2015年）	10.9	16.8	11.2	11.1	5.3	3.9	8.9	5.6
国民生活								
平均寿命（男女平均 2016年）	84	79	81	83	76	69	75	72
出生率（1,000人当たり 2010～15年の年平均）	8.4	12.5	8.5	12.1	12.6	20	15	13
人口密度（平方キロ当たり人口 2017年）	340	-	231	118	144	231	24	-
1日1人当たり熱量供給量（kcal 2013年）	2,726	3,682	,3499	3,482	3,108	2,459	3,263	3,361
自動車保有台数（100人当たり 2017年）	61.2	84.9	60.6	60.7	14.7	3.5	21	36.4

出典：岩波書店　『世界経済図説』p.17

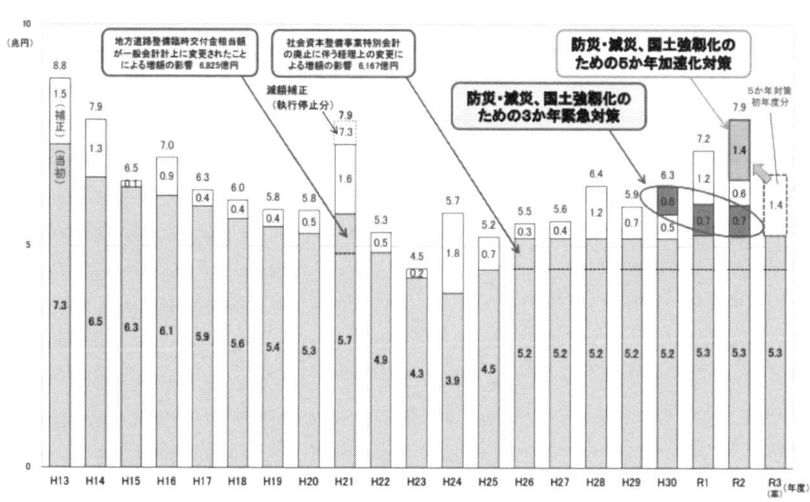

出典：国土交通省ホームページ

図７　公共事業関係費（国土交通省関係）の推移

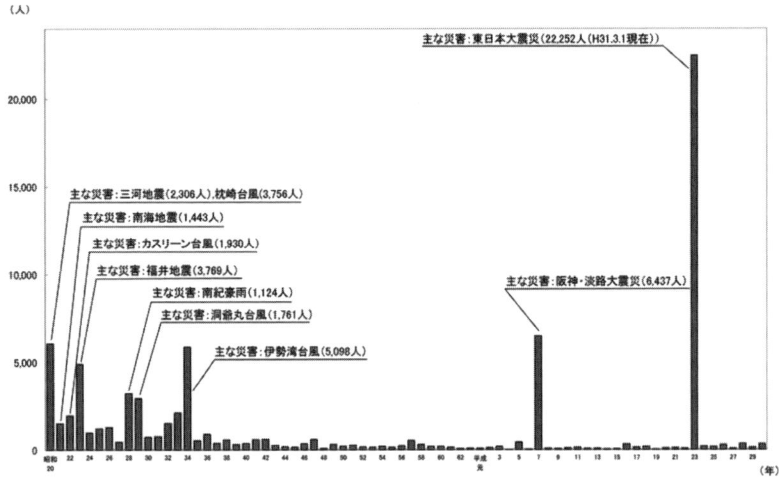

出典：内閣府　防災情報のページ

図８　自然災害による死者・行方不明者数

第二編

日本維新論

第１編で、日本の将来ビジョン“国家像”を描いてきた。
この国家像を実現するためには、政治、経済、社会あらゆる面で日本の改革、“維新”が国民全体の意思と努力でなされなければならない。
どうする日本！

第１章
政治の維新

第１節　「誰が国を想うのか」

我が国の歴史で“国難”と言えるのは３度ある —— 鎌倉時代の元寇、幕末・明治維新、そして太平洋戦争敗戦。過去、封建社会では、時の支配階級の武士たちが、国を憂い、国難を乗り切った。
明治以降、民主社会とはなったが、天皇を中心とした立憲君主制の下で、元来「お上」観念が強く、縦社会の人間関係に慣れた一般市民に「国を想う」意識を期待するのは無理だったと言えよう。富国強兵の国是の下、国政に参加したのは政党人、官僚、軍人そして民権運動家であった。

敗戦により、国民による民主主義が導入されたが、自らの“国家像”意識は見失われ、国民には精神の空白が生じていた。これを経済学者・大熊信行は次のように分析している。
第１は、戦争責任を戦犯個人に帰して議論し、国家の存在を問題領域から落としてしまった。第２は、米国の占領政策には、民主主義はいかにあるべきかという教育はあったが、民主主義国家はいかにあるべきかの教育は皆無であった。第３は、憲法第９条で交戦権を放棄し、戦力を保持しないとして、およそ近代国家主権中の最も生命的な柱を放棄した。

そして今、与党（自民党）の幹部の大部分、衆議院議員の３割強がいわゆる“世襲議員”である。野党の一部幹部も然り。いつの間にこんなことになってしまったのか（世界に例を見ない）。
世襲議員が一概に問題だとは言わない。問題はその資質と経験にある。先人の地盤、看板、カバンを引き継ぎ、「当たり前のように」議員となれば、国民（庶民）の実態と心情を理解できるだろうか。
誤った「選民意識」を持ち、社会の弱者、貧者に目が向かなくなれば、代表民主政治は実質的に崩壊する。
また、"職業政治家"化し、自らの地位の保身に固執するとなれば、政策は"too little, too late"、既存秩序、既得権益を変革する「将来のビジョンを持った日本のための政治」は行われ得ない。
成熟安定しさらに格差が形成される社会では、政治は強者・勝者におもねるのではなく、弱者・敗者の視点を重視しなくてはいけない。

また、国民が政治への関心を失い、いわゆる"３Ｓ政策"（Sex, Sports, Screen）に甘んじていないか。政治に関心を持つ人は、一部の利益団体、地域利益の「後援会」となれば、まさに文字通りの「衆愚政治」となり、職業政治家が蔓延し、国民全体の「最大多数の最大幸福」の政治は行われ得ない。

どの時代でも、いずこの国にも「国士」は出る。
私利私欲を捨て、国を憂い、国を思って一身を投ずる者たちだ。
時代が国士を生み、国士が時代を作る。人間の歴史で多く証明されているところである。
しかし、「最大多数の最大幸福」を最終目的とする現代民主主義社会では、一部の国士のみによって目的を達し得るであろうか。
否、国民一人一人が「草の根国士」でなければならない。
どうする日本！

（日本維新）

1.「職業政治家」でなく、「国士」たる資質を持つ人材を政界に送り出す

すなわち、「出したい人」を選出し得る仕組みを考えてみる

・支持政党なしの選挙民が過半数である実態を鑑みれば、一般市民（住民）の推薦による中立な公募制度の創設
・政党と関係のない一般市民による「選挙資金ファンド」を奨励し、これへの基金は免税措置
・議員終了後の一定の身分保障担保（“食”のために議員をすれば、主義主張を曲げてポストにしがみつく）

また、政治とカネは、半永久的課題である。これを決定的に断ち切るため、一度、政治資金規制法に違反すればその議員に２度と被選挙権を与えない。“One strike, you are out.”

2. 公務員は使命感を持った“公僕”たれ、自衛官は誇り高き“防人”たれ

古今東西、良き政治は優秀で使命感を持った官吏が居て成り立つ。歴史の証明するところだ。国を想う官僚は自信を持って「国士」たれ。

俗に言う“政高官低”の環境ではあるが、安定して継続して国政を担えるのは、官僚である。

ちなみに、我が国の「人口1,000人当たりの公務員」の数は、42.2人だ。ドイツは69.6人、米国は73.9人、英国は78.3人、フランスは95.8人に及ぶ。

米国をはじめ先進国の「防人」は、制服を着て堂々と街中を歩いている。

日本の自衛官はどうだろう。

戦前の軍部のトラウマをいつまでも抱えていいものだろうか。

その国の最後の防衛は自国の「防人」であることも、多くの歴史が証明するところである。

3.「国とは何か」、「良き市民とは」の教育は初等教育にあり

もう四半世紀以上前の話だ。米国ワシントンD.C.の郊外にある公立小学校で、子弟を２年生のクラスに通わせていた在住日本人が、日

頃授業内容に疑念を抱いていたので、ある時、先生との個別面談で、こう訊いてみた。

「最近、米国の小学生の読み書き、計算能力の低下が問題視されているが、日頃の授業内容を見ると、社会や倫理の授業が多くて、国語や算数の授業が少なすぎるのでは？　日本ではもっと読み、書き、ソロバン教育に力をいれているが」

先生は、暫く黙って聞いていたが、こう答えた。

「ミスター、我々はちっとも問題と思っていません。小学校時代に何を教育すべきかです。この時代にしかできないもの、それは良き人間、良き米国市民になってもらう教育です。読み書きソロバン教育は何時でもできます。大人になってからでも遅くありません。しかし、人間教育はこの時代にしかできないのです。人格形成がなされた大人になってからでは遅いのです」

目から、うろこが落ちる思いであった。

良き日本市民になるための教育こそ、“草の根”民主政治の原点である。

第２節　「公平な“一人一票”の価値を確保し、真の代表民主制の基盤を保障する」

ゲリマンダリングとは、米国のマサチューセッツ州知事ゲリーが、1812年の選挙にあたって自党の有利なように選挙区割りをしたことが由来だ。すなわち恣意的に選挙区境界線を決定したのだ。

言わば不公正、不公平な選挙区割りをしたわけである。このゲリーの名を冠して、自分に有利な選挙区割りをすることが、“ゲリマンダー”と名づけられた。

さて、日本の現行の選挙制度は終戦後の1947年、当時の人口分布に基づき、平等に選挙区割りと議員定数配分を行って始まった。

ところが、４分の３世紀を経過した今日まで、人口の移動が構造的に激変しているにもかかわらず、わずかな微調整は行われたものの、選挙区割りと議員定数はおおむね終戦直後と変わらない。

これぞ、「現代日本のゲリマンダリング」に他ならない。

「一票の格差」は、現行制度下において、衆議院小選挙区で２倍以上になったのは６選挙区、格差が最も大きかったのは人口が最も少ない鳥取１区の55万7071人で、最多の東京９区との間で2.016倍。参議院では議員１人当たりの人口が113万4388人の宮城と38万2398人の福井との格差が2.967倍となっている。

しかし、格差は「１」（格差なし）に限りなく近づけるのが大原則だ。これなくして代表民主主義（政治）は成り立ち得ない。

世界の国はどうであろうか。

各国、その政治情勢と歴史的経緯から相違はあるが、民主先進国は「一票の格差」を概ね「最小限」にとどめている。

米国下院議員については、憲法第１条２節により、各州の人口比数に大まかに比例している各州の議席数に応じて各州から選出される。10年ごとの国勢調査に基づき、人口数に応じた州内での区割りが調整される。

英国（下院議員）では、「選挙区割り管理委員会」が、少なくとも５年に１回、有権者の変動に応じて全小選挙区の区割りが見直される。

フランスでは、議員１人当たりの人口数の格差が1.50以内になるよう調整する。

ドイツでは（下院議員の場合）、選挙区画委員会が総選挙がある度に（選挙後に）、全選挙区の１議席当たりの人口数を見直し、１議席当たりの人口数の平均値を求め、これを+25％から-25％に収まるように区画割りがなされる。

イタリアでは、1.22倍内に収まるよう調整がなされ、オランダ、イスラエルでは、全国一区である。

かつて、当時のサッチャー首相が中曽根総理に質問したという。

「何か騒がしいようですが、何が問題になっているのですか」

中曽根総理答えて曰く「いや、大変なんです。選挙区割りの８減７増案が大問題なんですよ」

ところが、いくら説明してもサッチャーは理解しない。最後は通訳が叱られたという。

帰路の機中で、サッチャーはこう言ったという「You see, Japanese are not democratic people. 民主主義国家なら一人一票、人口移動があれば、即、選挙区割りの見直しをし、議員定数再配分をするのが当たり前じゃないの。代表民主主義のイロハのイなのに、何言ってんの」

どうする日本！

（日本維新）

1. 最高裁は、明確に「現行選挙制度は違憲である」との判決を出す

　過去、多くの議員定数違憲訴訟がなされているが、最高裁判所の判断は「２倍以内なら、とか、３倍以内なら、とか」などと宣っている。

憲法第14条1項（法の下の平等）、第15条1項（国民固有の権利）の規定を持ち出すまでもなく、代表民主主義の大前提として、「一人一票」に決まっている。

裁判所が、国会の混乱を危惧するあまり、三権分立の役割を放棄すれば、日本に民主主義の基盤は形成されない。

観念的な法的整合性を守るより、日本民主主義のため、勇気をもって違憲判決を出すべきだ。

法理論より、日本民族の方が遥かに大切だ。例えば“瑕疵の治癒”論などで、過去のことは問わないとするのも一案である。超法規的国民合意として行えばよい。

とはいえ、今の国会議員（職業政治家）に、自分の“首”が飛びそうな改革を期待するのは、「百年河清」である。

2. マスメディアで「一人一票」のキャンペーンを張る

誰もが「一人一票」の意味、価値を認識すれば、現行選挙制度の不合理に気づき、これに甘んじる人は少ないだろう。その重要性、致命性を認識してないだけである。

執拗に、継続して啓蒙啓発すれば必ず世論は動く。

例えば、1週間、新聞、テレビ、ラジオ、インターネット、あらゆるマスメディアが我慢強く“トップ記事”で啓蒙すれば、必ず世論は動く。

何故に“一人一票”の代表民主制の大原則が実現できないのか。

150年も前に決めた行政区画（都道府県）を、あらゆる内外の構造的環境変化があるにもかかわらず、選挙区割りの基盤とするからである。

国会議員は、国政を担うのが責務である。地域の利益代表ではない。この同質性を持つ民族が、どの地域に住もうとも「一票の価値」を保障されることが大原則である。

表６　各国公務員数と労働時間の比較

（人口千人あたり）

<table>
<tr><td colspan="2" rowspan="3">各国データ</td><td>日本</td><td colspan="2">イギリス</td><td>フランス</td><td>アメリカ</td><td>ドイツ</td></tr>
<tr><td rowspan="2">2004～2005</td><td colspan="2">2005.7</td><td rowspan="2">2004.3</td><td rowspan="2">2004.3</td><td rowspan="2">2004.6</td></tr>
<tr><td>職員数</td><td>フルタイム
換算職員数</td></tr>
<tr><td rowspan="5">国家公務員</td><td>行政機関・議会・司法</td><td>4.0 人</td><td>38.8人</td><td>32.9人</td><td rowspan="2">44.2人</td><td>7.5人</td><td>4.4 人</td></tr>
<tr><td>国防省・軍人</td><td>2.4 人</td><td>3.5 人</td><td>3.5 人</td><td>2.3人</td><td>2.3 人</td></tr>
<tr><td>公社公団</td><td>3.7 人</td><td rowspan="2">6.4 人</td><td rowspan="2">6.0 人</td><td rowspan="2">8.8 人</td><td rowspan="2">-</td><td>7.3 人</td></tr>
<tr><td>政府系企業</td><td>2.5 人</td><td>8.4 人</td></tr>
<tr><td>計</td><td>12.6人</td><td>48.7人</td><td>42.4人</td><td>53.1人</td><td>9.9人</td><td>22.3人</td></tr>
<tr><td rowspan="3">地方公務員</td><td>行政機関、議会</td><td>23.2人</td><td rowspan="2">49.0人</td><td rowspan="2">35.9人</td><td>26.4人</td><td rowspan="2">64.0人</td><td>42.8人</td></tr>
<tr><td>地方公社・公営企業・その他</td><td>6.4 人</td><td>16.3人</td><td>4.5 人</td></tr>
<tr><td>計</td><td>29.6人</td><td>49.0人</td><td>35.9人</td><td>42.7人</td><td>64.0人</td><td>47.3人</td></tr>
<tr><td colspan="2">合計</td><td>42.2人</td><td>97.7人</td><td>78.3人</td><td>95.8人</td><td>73.9人</td><td>69.6人</td></tr>
</table>

出典：野村総合研究所 「公務員数の国際比較に関する調査 報告書 平成 17 年 11 月」 P4

表７　衆院小選挙区１票の格差

<table>
<tr><td rowspan="6">人口が
多い区</td><td>①東京9区（練馬区）</td><td>2.016倍</td></tr>
<tr><td>②東京22区（三鷹市など）</td><td>2.016倍</td></tr>
<tr><td>③兵庫6区（伊丹市など）</td><td>2.008倍</td></tr>
<tr><td>④神奈川15区（平塚市など）</td><td>2.007倍</td></tr>
<tr><td>⑤東京13区（足立区など）</td><td>2.004倍</td></tr>
<tr><td>⑥東京16区（江戸川区など）</td><td>2.003倍</td></tr>
<tr><td>人口が
最も少
ない区</td><td>鳥取1区（鳥取市など）</td><td>1.000倍</td></tr>
</table>

（注）カッコ内は選挙区内の主な地域

出典：「日本経済新聞」ホームページ2020年8月15日

表８　選挙人名簿登録者数及び在外選挙人名簿登録者数

（2020 年 9 月 1 日現在）

順位	多い選挙区	人数	倍率	少ない選挙区	人数
1	東京都第10区	481,534	2.066	鳥取県第1区	233,060
2	東京都第13区	480,876	2.063	鳥取県第2区	235,864
3	東京都第8区	480,517	2.062	長崎県第3区	238,567
4	東京都第9区	479,583	2.058	宮城県第4区	238,625
5	東京都第4区	478,229	2.052	福島県第4区	240,890

※倍率＝最小「鳥取県第1区」との比較

出典：Wikipedia「一票の格差」より作成

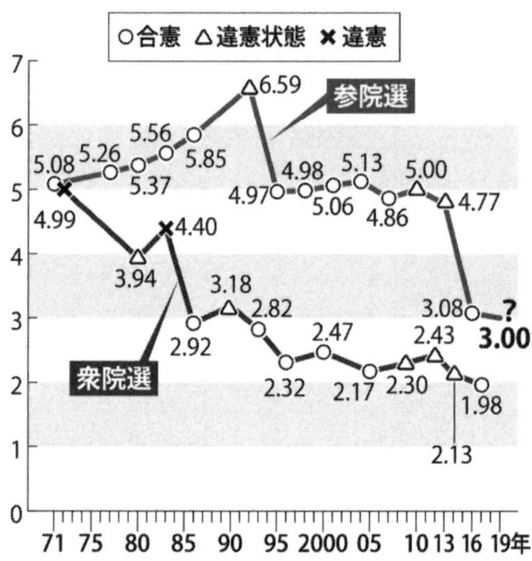

出典：毎日新聞 ホームページ(2020/11/17)

図９　衆参両院の「1 票の格差」と最高裁判所

第3節　「衆愚におもねるマスメディアでなく、市民を育てるジャーナリズムとなれ」

通信、情報手段がこれほどまでに発達し、国境を超えて世界中の人々が個人でインターネットにより自由に情報交換できる今日、ジャーナリズムの手段も役割も急速に変化している。

そして、その使命も変わってきている。

戦後、言論環境は一変した。

憲法第21条によって、言論の自由（表現の自由）が保障された。

そして、4分の3世紀にわたり、「国民の知る権利」、「報道の自由」、「言論、出版その他一切の表現の自由」を最大限に尊重した。その1つの結果として、ジャーナリズムに大きなビジネスの機会を提供することとなった。

ビジネスは“顧客”にどうしても迎合する。

ジャーナリズムがビジネス化すればする程、視聴率、販売数にこだわり、低俗化の道を歩むのは必然である（エンターテインメント番組や、記事を一概に否定するものではないが、あまりに多い。芸能人が異常に持ち上げられ、人のスキャンダルで“パン”を得る輩が多すぎる。世界でも稀有であろう）。

20世紀初頭、米国で“3S政策”と揶揄されるものがあった。“3S”とはSEX, SPORTS, SCREENのことであり、これらを大衆に十分与えておけば、民主主義国家においても、時の政権に対する関心は薄れ、批判も起こりにくい。

言わば「愚民政策」である。

インターネット等情報技術の目覚ましい発展により、誰でも何時でも何処でもあらゆる情報が入手、交換できる今日、そしてその情報は正誤、善悪関係なく混在して、言わば情報の“るつぼ”である（フェイク、ヘイト情報お構いなし）。

今、ジャーナリズムに求められる使命とは、「公正で公平そして正しい」情報と、市民を啓蒙する言論である。これがあってこそ真の民主主義が成立する。

どうする日本！

（日本維新）

1. “事実”を情報伝達する報道等については、一定の制約があってよい

個人の名誉や人格権を侵害するジャーナリズムは許されない。「公共の福祉」による制約である。

例えば、重大な誤報道の場合には、倍の字数あるいは時間で（言わば“倍返し”）、訂正の報道をする。

また、SNSによる誹謗中傷には、これを厳しく罰するとともに、ネット事業者の事業活動にも一定の制約を課するべきである。

2. 良い事、良い人のことを積極的に報道する

読売新聞、日経新聞の社会面の記事を約1週間調べたところ、何とマイナスイメージ（犯罪、事故、政治腐敗、企業不正など）の記事が読売74%、日経70%であった。

テレビの低俗番組は論を待たない。

これでは、青少年が「世の中、悪い事、悪い人ばかりだ。夢も希望もないな」と思い違いすることは避けられない。世の中、良い事も、良い人もたくさんあるし、いる。

何故、これを積極的に報道しないのか。

他人のスキャンダル、不幸を知りたがるのは人間の悪しき“性”、これにおもねるジャーナリズムでは駄目だ。

3. 公正で公平そして視聴率等に惑わされることなく啓蒙的報道のでき

る報道機関を増やす

メディアに対する世論調査によれば、やはり信頼度の一番高いのはNHKだ。

しかし、公共放送が１つでは足りない。良い競争関係を持たせる意味でももう１つの公共報道機関を新設する。例えば米国のCSPAN（議会中継、記者会見、セミナー等の啓蒙的報道機関）も１つの模範となろう。

4. ネット社会の今日、SNSあるいは既存の報道手段を通じて情報発信者が直接あらゆる受信者（国民）に意思表明できる

米国大統領は、毎週日曜日５分間、国民に向かって直接ラジオ演説を定期的に行っている。

ロシア大統領は、毎日TVニュース番組に出て政策を語っている。

このマスメディア時代、間接的情報発信では、真意、情熱が伝わらないことが多い。

一国のリーダーは、出来るだけ自分の言葉で直接国民に語りかけ、説明する機会を持たなければならない（議院内閣制の首相といえども同じこと）。

5. ジャーナリズム業界の質の向上と第三者チェック機能の強化を図る

キャスター、解説者、論説委員の質の向上は、即、言論界の質の向上（美人が必ずしも上質を意味しない）を意味する。

医師、弁護士、公務員等社会的責任の大きい職業には一定の資格制度がある。ここまでマスメディアの役割が民主主義社会にとって大きく重要になってきた今日、この職業にも一定の資格制度を考える時期ではなかろうか。

また、国民の直接選挙などにより選出された“第三者チェック機関”の充実も必要なのではないか。

表９　マイナスイメージの記事

新聞	日付	事件(刑事・民事)	事故	企業／不正	政治関係	トピックス(マイナスイメージ)	トピックス(プラスイメージ)	論説	悪い記事	トータル
読売	12/1(水)	9		2	1	1	7	1	13/21	
	12/2(木)	4	1	4	2	2	5	2	13/20	72/98
	12/3(金)	7		5	2	2	2	2	16/20	(73.47%)
	12/4(土)	13	2	3	2	1	3	2	21/26	
	12/5(日)	5	2	1		1	1	1	9/11	
日経	12/1(水)	4	1	1	1	1	4		8/12	
	12/2(木)	4	1	3		1	3		9/12	47/68
	12/3(金)	11		1		2	2	1	14/17	(69.12%)
	12/4(土)	4		3		2	6		9/15	
	12/5(日)	2	1			4	4	1	7/12	

平成16年12月1日（水）～同年12月5日（日）の読売新聞・日本経済新聞の朝刊社会面の見出し記事から抽出

出典：筆者による集計

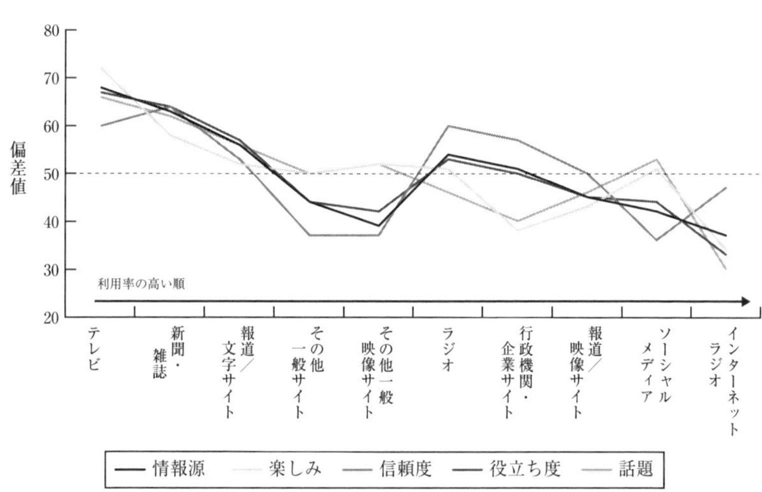

出典：総務省　情報通信国際戦略局情報通信経済室「ICT 基盤・サービスの高度化に伴う利用者意識の変化等に関する調査研究報告書（2012年3月）」

図 10　評価指標別のメディア評価

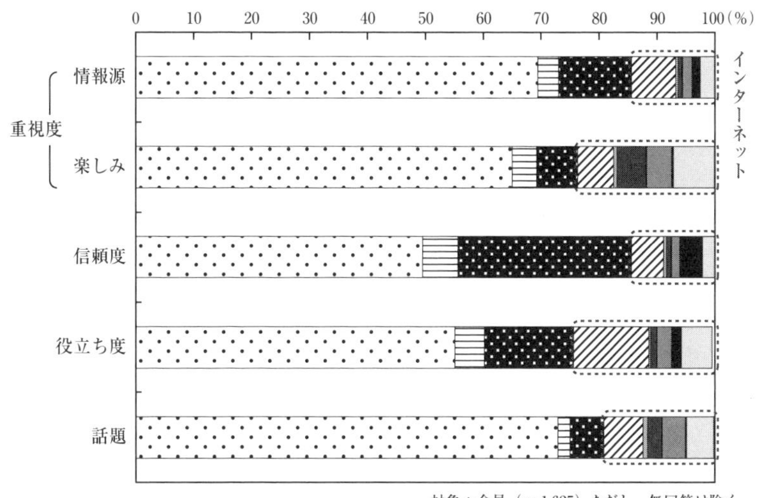

テレビ　ラジオ　新聞・雑誌　報道/文字サイト
報道/映像サイト　その他一般の映像サイト　インターネットラジオ　ソーシャルメディア
行政機関・企業サイト　その他一般サイト

出典：総務省　平成24年版情報通信白書　p.241

図 11　各評価指標で最も高いメディア（全体像）

第４節 「明治維新後１世紀半、新しい地方制度を構築し、地域活性化を推進する」

そもそも、47都道府県制になった経緯はどうだったのか。

明治２年（1869年）、全国の各藩主（大名）が領有していた土地と人民を朝廷に返還した。版籍奉還である。当時、外圧によって、中央集権、富国強兵が最大の国家的課題であり、藩を１個の“単位”とはしないで日本全国をもって“一国”とする認識となった。

この認識の下、明治４年、廃藩置県が断行された。

当初、300有余設置された県は徐々に整理され、明治21年に市町村制が定められたのに続き３府43県となり、今日の都道府県制の基が出来上がった。

その過程で、“県市町村”の区分と数は、過去の“しがらみ”と経緯が先行するのみで、特段の地方制度の合理的根拠、哲学があったとの証左はない。

そして、明治維新後75年、近代先進国家であった我が国は太平洋戦争に敗戦し、それまでの中央集権･軍国主義国家像の全面転換を迫られ、連合軍占領下で民主主義的新憲法が制定された。憲法第92条（地方自治の本旨）で、地方自治は、住民から付託を受けた地方自治体が責任を持って運営する「団体自治」。そして住民の参加によって運営される「住民自治」から成り立っている。すなわち地方分権（例えば、警察本部、教育委員会、災害対策、公衆衛生等）によって、戦前の中央集権的弊害を除去しようとしたのである。

そのためには、自治体の財政的自主性が確保されていなければならない。

その後、さらに75年、戦後の復興から今日の経済大国日本になるまでの過程において、全国国土開発計画は何度も試みられたが、人の流れは“市場原則”そのものであり、今や大都市圏への人口集中と地方の過疎化は止まらない（2019年の三大都市50キロ圏の人口は6017万人、東京50キロ圏は3411万人、そして過疎地域は面積で見ると全国に60％である）。

こうした経緯と現状を踏まえれば、今や“小手先の”地方制度改革では日本の将来は見通せない。明治以来１世紀半も維持してきた都道府県制の今日的意味、さらにこれだけ交通、通信、情報、経済活動が全国一体化した今日においての地方分権のあり方は、もはや根本的に見直されなければ手遅れとなろう。

どうする日本！

（日本維新）

1. 集中のメリットとデメリットそして国土保全、環境、防災、国防等の観点を入れた「全国国土利用計画」を策定し、官民協調してその実現に努力する

世界に稀な「単一民族」の日本は、将来に向かってどこまで地域の特性を維持する必要があるだろうか。また、地域振興を各地方自治体の競争関係に委ねたとしても、所詮は企業誘致、農業開発、観光振興などの域を出ない。人口減少が必然となる将来、全ての地域が同じように振興されることはない。

この島国で、限られた国土を全国民で有効かつバランスの取れた形で利用、発展させるためには、それぞれの地域がそれぞれの役割分担をし、全体として調和の取れた国土利用計画が必要である。

そのためには、国民全体の合意による“国土計画”の策定が先決である。

東京一極集中解消策もこれに盛り込む。

また、第１編第２章第４節（国民公共経済計画）の実行も組み入れる。

2. １世紀半前の旧態依然たる“都道府県”制を白紙に戻し、今日的意味

を持つ新たな地方自治“単位”を創設する

経済社会活動が全国一体化した今日、広域警察の必要性、教育のグローバル化、災害対策、公衆衛生の広域化など、地方行政の広域化が必須である。

また、現在地方公務員は270万人、地方累積債務は190兆円に上る。こんなにたくさんの人と金が地方自治体に必要なのか。そしてそれだけの首長が要るのか。

新たな地方自治“単位”を考えるにあたっては、上記1．の「全国国土利用計画」を念頭に置かなければならないが、いずれにしても“経済社会活動”の自主性、自律性（特に財政の自主性をいかに確保するか）が基本的視点となる。

過去、何度も議論された“道州制”も１つの叩き台であろう。

3. 市民社会形成のため、地域コミュニティの原子単位（自治会、町会等）の活性化を図る

江戸時代の町年寄、惣年寄、戦前の「隣組」など、それぞれ功罪はあるが、地域コミュニティのシステムはあった。戦後「住民自治」は憲法で謳われたが、実態は名実ともに希薄となり、とくに都市部において、「隣の人は、何する人」の状態だ。

健全な市民社会形成のためにも、代表民主制の基盤を確立するためにも、地域を支える社会インフラ（場、情報インフラ等）を整備し、元気な老人の活用を図る。

また、寺の坊さん、神社の神主は何をしているのだろうか。昔から社会インフラを有し、教養と時間を有する彼らが、積極的にその物的、人的資源を社会還元すべし。

全国にしめる三大都市50キロ圏の人口の割合

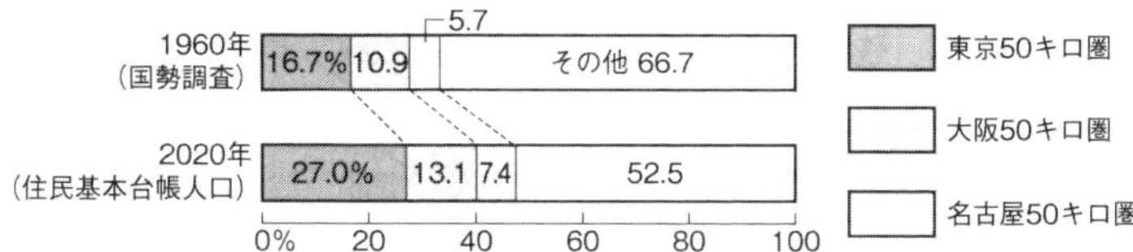

各都市の役所（東京は旧都庁）から半径50キロ内の地域。1960年は10月1日、2020年は1月1日。

過疎地域の全国にしめる割合（2019年4月1日現在）

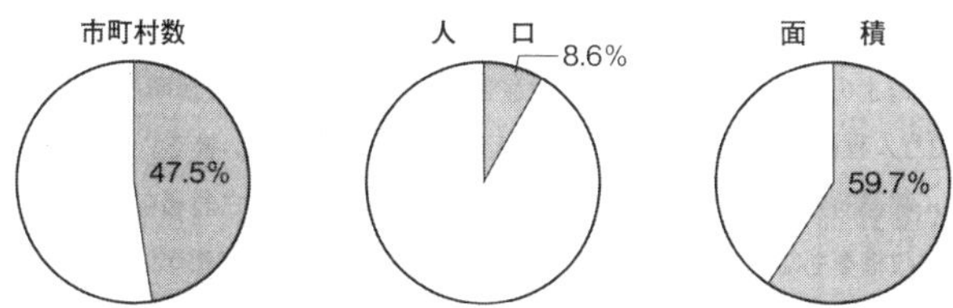

総務省しらべ。東京都特別区は1団体とみなし、市町村数にふくみます。

出典：公益財団法人矢野恒太記念会『日本のすがた2019』

図 12　「全国にしめる三大都市 50 キロ圏の人口の割合」「過疎地域の全国に占める割合」

過疎地域の概況

（過疎地域は国土の 6 割弱、市町村数の半数近くを占める多様な地域）
過疎地域の人口は全国の 8.6％を占めるに過ぎないが、市町村数では半数近く、面積では国土の 6 割弱を占めている。

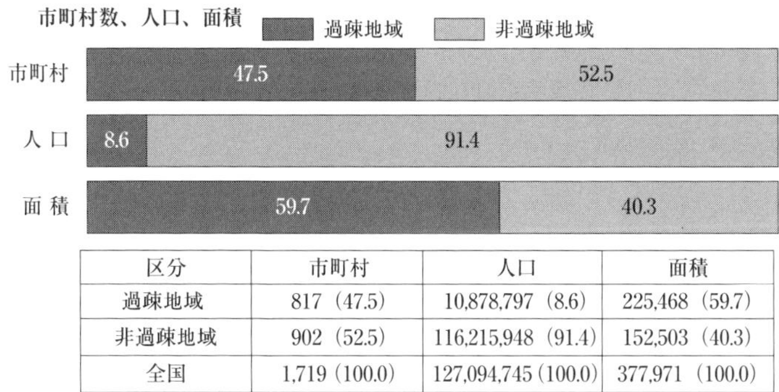

区分	市町村	人口	面積
過疎地域	817（47.5）	10,878,797（8.6）	225,468（59.7）
非過疎地域	902（52.5）	116,215,948（91.4）	152,503（40.3）
全国	1,719（100.0）	127,094,745（100.0）	377,971（100.0）

（単位：団体、人、km^2、％）

出典：総務省自治行政局過疎対策室　「令和元年度版過疎対策の現況概要版」 P1

図 13　過疎地域が全国に占める割合

地方財政の借入金残高は、**令和３年度末で 193 兆円**と見込まれている。この内訳は、交付税特別会計借入金残高（地方負担分）31 兆円、公営企業債残高（普通会計負担分）17 兆円、地方債残高 145 兆円である。

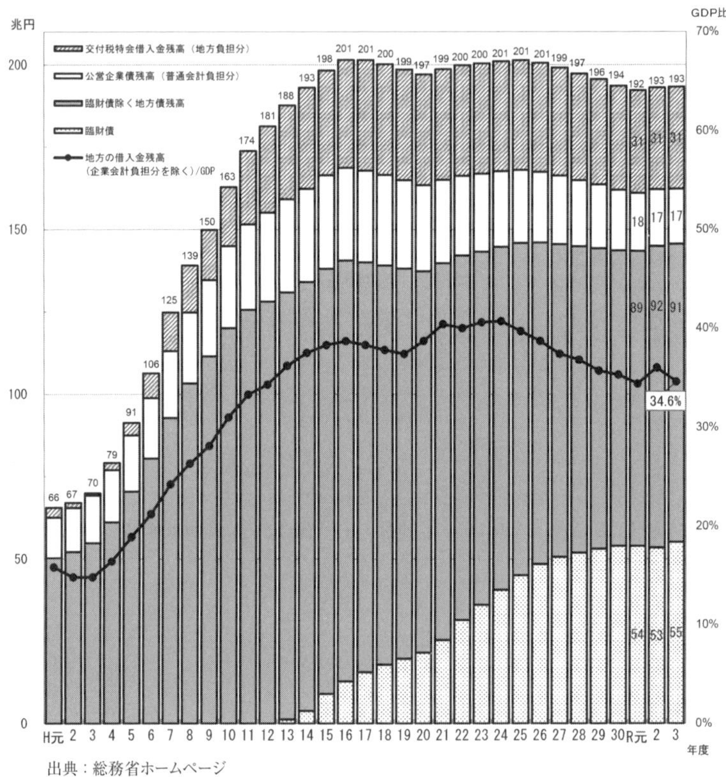

出典：総務省ホームページ

図 14　地方財政の借入金残高の状況

第5節　「自分の国は自分で守る」

戦後、国民意識の中で180度転換したのは、「国防感覚」である。

我が国は、全ての“価値”の転換を迫られ、まさに「どうする日本」であった。

戦勝国リーダー米国は、ドイツとともに二度と世界戦争を惹起させないという意図で、人類の理想とも言える「戦争の放棄」を規定した「憲法」を日本に制定させた。

一方、当時の米ソ“鉄のカーテン”の冷戦下にあって、日本を友好国に維持しておくことは米国にとって極めて重要なことであった。そして「日米安保条約」の成立 —— 日本は、「戦争放棄の憲法」、「日米安保条約」の傘の下、戦前の“軍国主義”のトラウマの中で、「自分の国は自分で守る」の意識を持つまでもなく、経済成長一辺倒に徹し得た。それから4分の3世紀、世界情勢は全くの“様変わり”で、日本の外交的立場も激変する今日、従来の「平和憲法一辺倒」、「他力による防衛」の国防感覚では国の存続が危うい。

国の安全保障をいかに担保するか

今、世界は米ソ冷戦終焉後、中国の台頭による米中新冷戦、“覇権主義”的行動による所謂“GRAY ZONE”への進出（中国の南西諸島等、ロシアの旧東欧圏、イランのアラブ諸国等への進出）、そして北朝鮮の核開発など紛争の火種は尽きない。

一方、世界のポリスであった米国の凋落、国連機能の減退と各国の“自国主義”の蔓延など、平和を維持する機能は減衰している。

我が国の周辺においても、北朝鮮問題、米中覇権争い等さらに先の戦争で進出していった国々の「歴史認識」は根深いものがある。

現在の自衛隊は、14万人の陸上兵力、140隻の海上兵力、400機の航空兵力（ただし陸海空合わせれば1000機）の陣容となっており、そのための年間予算は約500億ドル（GDPの約１％）である。

この規模と装備が適正であるかどうかは、“専守防衛”の憲法下において議論のあるところであるが、いずれにしても「日米安保条約」（日米同盟）による米国の“核の傘”の下での議論である。

「戦争に近づかない」とは、全くその通りだ。しかし上記の国際情勢を鑑みれば、「日本は平和主義と戦争放棄を国是としているので」と憲法をかざして済むだろうか。世界の外交はそんなに甘くない。

どうする日本！

（日本維新）

1.“日米同盟”の今日的意味を認識し、その限界を知る

締結当初からあらゆる世界情勢が“様変わり”した今日、“日米同盟”の意味も全く違う。

当初のように、日本の「戦争放棄、専守防衛」の代わりに、米国があらゆる犠牲を払っても日本の安全を保障することは期待できない。米国が、自国の“国益”を犠牲にしてまで日本を守ることはない。

今や、日本の米軍基地は、米国が世界戦略を進める上での「太平洋艦隊の前線基地」の意味合いであろう。

となれば、いざ事あらば、軍事行動においても日本に応分の負担を求めてくるのは必至。

どこまで“専守防衛”が貫けるか。

2.真剣に「自主防衛」の意識、「国防」感覚を持とう（“非核武装”が貫けるか）

多くの人が、「自主防衛」の充実を思う。これは、「防衛装備の充実」と「国防の意識」が必須である。防衛装備はカネと技術があれば充実できる。しかし、国防の意識は自衛隊員のみならず、最終的には国民全員が覚悟する必要がある。近い将来これを問われる日が来る可能性

は十分に考えられる。

世界から核兵器が一掃できるだろうか。唯一の被爆国である我が国の悲願である。

しかし、現実は米国、ロシアを始め明らかな核保有国は８か国に及ぶ（世界から核兵器がなくなることなど“夢物語”か）。

今、米国の“核の傘”の抑止力の下で日本の安全保障は担保されている。

核兵器保有国が現存する以上､真の“抑止力”は核武装でしかない。果たして日本独自の抑止力が考えられるであろうか。

3. 有事、平時の自衛隊の機能を十分発揮させる

有事において、自衛隊の機能は、“日本防衛”のために十分な体制なのか。

陸自は「野戦型の戦闘団、市街戦に向くのか」、海自は「対潜戦至上主義、海上防衛体制でない」、空自は「初めての独立空軍、米空軍を真似ただけ」である。

そして、有事法制 ――「まさか、赤信号で戦車が止まる」ことはないと思うが、戦時刑法を始め自衛隊員が戦闘をする法制度、社会システムはあまりにお粗末だ。

国民全体で、有事の議論を真剣に行なわなければ、この国は亡ぶ。

また、平時において、この訓練された人材と整った装備を活用しない手はない。

言うまでもなく、地震等自然災害時、社会騒乱時において、我が国でヒト、モノ両面で最大集団能力「われら自衛隊」を積極的に活用する（地方自治に任してはおけない）。

そのためにも、所謂、“マーシャルロー”も必要だ。

表10　2020年軍事費支出世界上位10カ国

1ドル＝107.73円で換算

順位	国名	単位10億ドル	円	対世界比(%)
1	アメリカ	778.0	83兆8139億4000万円	39.27%
2	中国	252.0	27兆1479億6000万円	12.72%
3	インド	72.9	7兆8535億1700万円	3.68%
4	ロシア	61.7	6兆6469億4100万円	3.11%
5	英国	59.2	6兆3776億1600万円	2.99%
6	サウジアラビア	57.5	6兆1944億7500万円	2.90%
7	ドイツ	52.8	5兆6881億4400万円	2.67%
8	フランス	52.7	5兆6773億7100万円	2.66%
9	日本	49.1	5兆2895億4300万円	2.48%
10	韓国	45.7	4兆9232億6100万円	2.31%
世界上位10カ国計		1,482	159兆6127億6800万円	74.79%
世界全体		1,981	213兆4131億3000万円	100.00%

出典：ストックホルム国際平和研究所データより作成

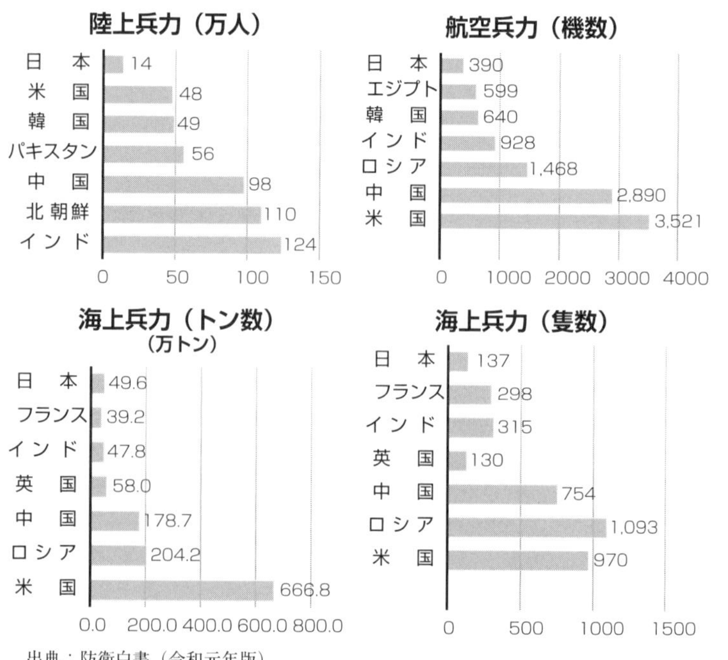

出典：防衛白書（令和元年版）

図15　主要国・地域の兵力一覧（概数）

第６節「外交の基本スタンスを明確にし、マルチ外交で世界に貢献する」

思うに、二千年の歴史で“国”として外国と交わった経験と実績はどうであったか。

６～７世紀、遣隋使、遣唐使などの積極外交は一時あった。その後、元寇、朝鮮出兵を除けば民間貿易が中心で、近世は鎖国、本格的に外交が始まったのは明治維新以降と言ってよいだろう。

明治以降太平洋戦争敗戦まで、列国に伍して外交を行うために行った「富国強兵」、これが基盤であった。

そして敗戦 ―― 全ての価値観の転換を迫られ、「経済成長一本槍」で来た今日、我が国外交の依って立つ“基本スタンス”を国民全体で議論、コンセンサスを形成することがあっただろうか。

世界が、あらゆる面でグローバル化した今日、“一国”の外交とは何か。

東アジアに位置する島国、天然資源小国、ユニークな文化と言語そして、我が国の過去の諸外国への“遺産”を念頭に、我が国「外交の基本スタンス」を考える時、次の３視点から考慮すべきである。

- 自国（日本）の国益のため
- 相手国の立場（相手国民が何を求めているのか、相手国の利益）
- その問題の国際的位置づけと評価

この３視点を同じウエイトで考慮し、最後に「バランスの取れた我が国の国益」を判断する。

どうする日本！

（日本維新）

1. 外交の基軸はアジアにあり。これからの“アジア繁栄”のため経済（ヒト、モノ、カネ）・文化交流を中心とした外交に焦点する

　戦後、経済復興、成長の過程で、外交の中心は戦勝国米国そして欧

州に置かざるを得なかった。しかし、今や、アジアの時代が始まっている。アジア外交の時代だ。

そのためには、近隣諸国（「俺たちは忘れない」）に対し、先の大戦で記憶に残る“過去”を（天皇も含め）謝罪清算し（とくに精神面）、そして、中国に対しては「大国としての責務と行動」を促す。

アジアで連携強化の中核となるのはASEAN諸国である。ASEAN諸国も“心”のなかでは　中国との関係も考慮しながら日本のリーダーシップを期待している。

2. 自由貿易を死守し、資源外交に邁進する

我が国のエネルギー自給率は、10％に満たない。石油の輸入依存度は99.6％、ガスも97.5％、そしてカロリーベースの食料自給率は40％である。

38万平方キロメートルの国土に、1億数千万の人口が住む。

また、過去の戦争の多くは、資源獲得が起因と言える。

あらゆる平和的手段、知恵（マルチ、バイ問わず）を駆使して、自由貿易推進、貿易秩序維持のための外交努力をしなければならない。

3. 「自分の国は自分で守る」の基盤の下、平和外交、環境外交などのマルチの場で日本の役割を果たす（敢えて「国際政治大国」になる必要はない）

ここまでグローバル化した世界、もはや“一国”のリードで世界の平和、環境、安全が保たれることは不可能だ。

日本は、世界唯一の原爆被爆国である立場を忘れることなく、平和主義外交を貫き、核不拡散、環境保護など人類共通の課題でマルチ外交によってその使命を応分に果たす。

そして、「出しゃばって、間違っても戦争に近づかない」ことだ。

4. 日本そして日本国民の国際化を推進する

昔から「日本人は外国から物は受け入れるが、人は受け入れない」と言われてきた。

Homogeneous な民族であることが１つの原因であろうが、もうそれでは済まされない。

これからインバウンド（訪日外国人旅行）の振興、外国人労働者の受け入れの必要性、日本企業の海外展開などを考えれば、なおさらそうである。

現実的な問題は、日本人の語学能力だ。国際語学教育機関（スイス）の 2019 年調査によれば、100 か国中、日本人の英語力ランキング 53 位である。

これを克服すれば、第１編第１章第１節（日本と日本人の長所）で述べたものが生かされる。

日本は素晴らしい“国際化した社会”となることができる。

本来、外交は政府間のみで行われ得るものではない。

その国のあらゆる人、あらゆる場で行われるものである。国と国との関係は、突き詰めれば「人と人との関係」である。国民全員の国際化が最終的な「外交の鍵」である。

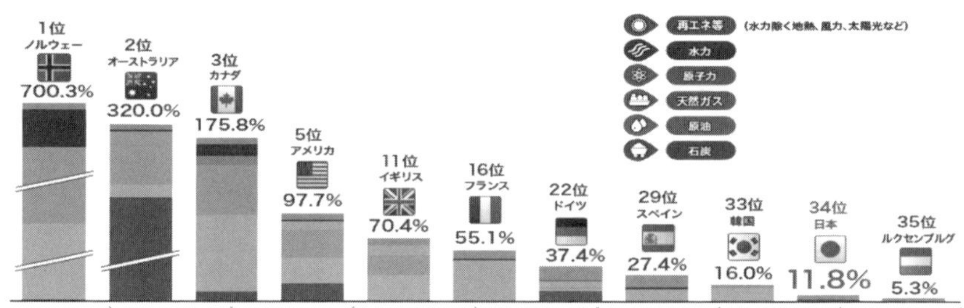

※表内の順位はOECD35カ国中の順位
出典：資源エネルギー庁　2020—日本が抱えているエネルギー問題(前編)

図 16　主要国の一次エネルギー自給率比較

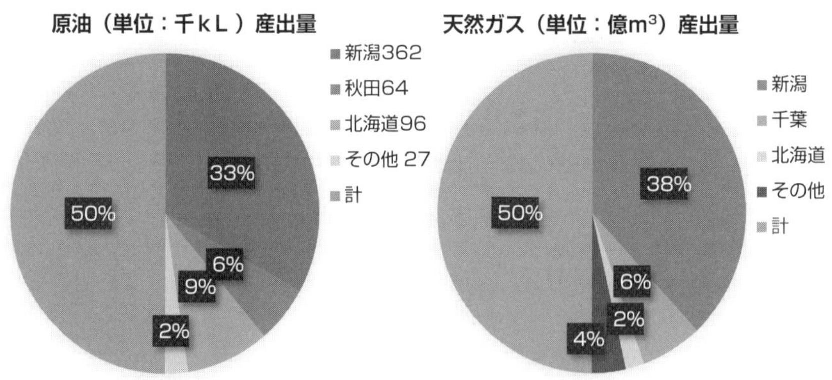

出典：ENEOS石油便覧

図 17　国内主要油・ガス田の年間生産量の推移 (2016 年)

我が国の食料自給率は、自給率の高い米の消費が減少し、飼料や原料を海外に依存している畜産物や油脂類の消費量が増えてきたことから、長期的に低下傾向で推移してきましたが、カロリーベースでは近年横ばい傾向で推移しています。

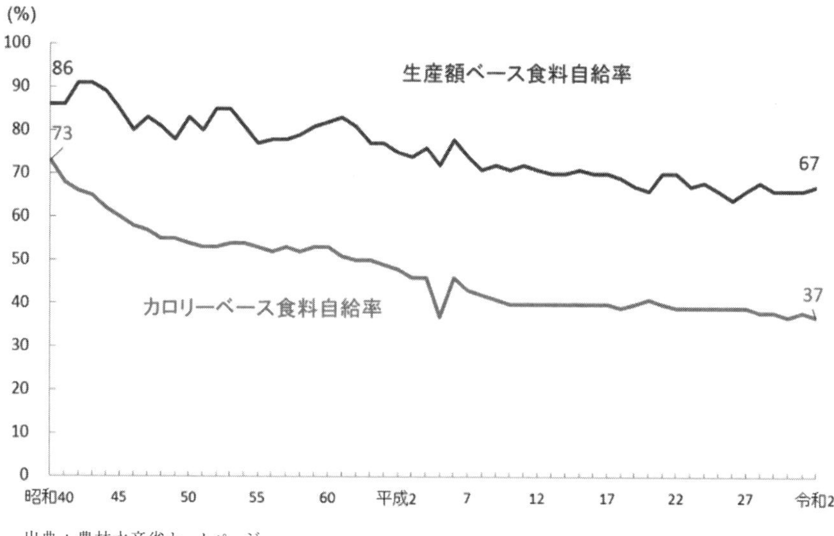

出典：農林水産省ホームページ

図 18　昭和 40 年以降の食料自給率の推移

全体として日本は調査対象の 11 の国の中で最も信頼できる国と評価された。

最も信頼できる国(%)

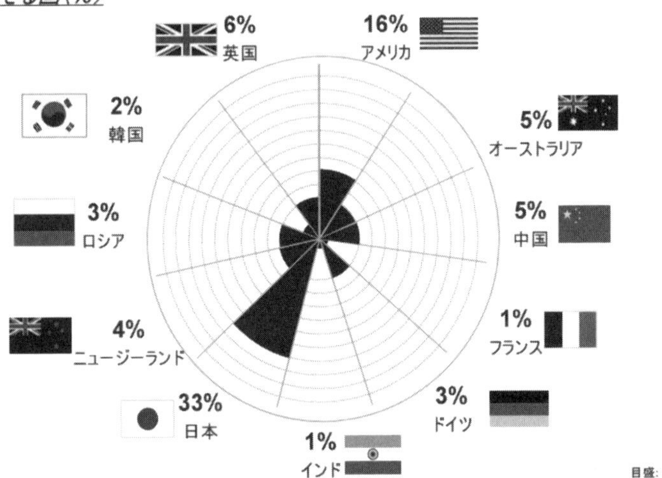

出典：外務省 ASEAN 調査 (2014 年 3 月 31 日)　P17

図 19　ASEAN7 カ国における対日世論調査結果

第７節　「統治機構の維新を行うとともに、憲法を実質的に機能させる」

戦前の陸軍省・海軍省などの軍事行政機構の廃止や内務省の廃止、さらに天皇の任免大権も否定され、公務員は「国民全体の奉仕者」とされた。すなわち、1947 年日本国憲法の施行、48 年国家行政組織法、各省庁設置法が施行され、戦後の統治機構が確立された。また、国家公務員法、地方公務員法も施行された。

その後４分の３世紀、その時の時代要請により、省庁の手直しや公社の民営化や「独立行政法人」の創設など行われたが、従来の１府 22 省庁が１府 12 省庁に再編されたのは 2001 年である。また、2007 年、能力実績主義導入などの「公務員制度改革について」が閣議決定された。

戦後の行政機構は憲法の下、国民主権、基本的人権の保障、平和主義さらに地方自治の尊重などの現代民主主義の原則に基づいていることは明確であり、今後とも、この原則を大原則とすることは誰も疑う余地はない。

しかし、その具体的制度設計において、４分の３世紀経過した今日、今の統治機構が時代にかなったものだと言い切れるだろうか。長年の既成概念の弊害、既得権益の蔓延、そして抽象的理念先行の“空議論”により、制度疲労を起こしているにも係わらず、統治機構、さらには憲法の条文を時代に即して改革しようとする国民的エネルギーが欠けている。

「国の運営の仕組み」を考えるには、まず、国民の合意する国のビジョン“国家像”が先決である。

第１編第２章第２節（将来ビジョン）を念頭に置きながら思えば、時代は、以下の方向に進んでいる。

・「経済成長社会」から「幸福福祉社会」へ
・「新自由主義経済運営」から「社会的格差のない公正公平な社会形成」へ

・「欲望の金銭主義」から「安心安全な公共経済重視」へ
・「他力防衛」から「自主防衛」へ
・そして、「身の丈に合った平和・自由経済に資する外交」へ

我が国は、ほとんどの現代民主主義国家がそうであるように代表民主制である。

そして、その具体的仕組みは“政党政治”である。

思うに、この手法、手段が、過去の既成概念となり、合理性なき慣行・慣習で動脈硬化、制度疲労を起こしていないか。

「国民全体の奉仕者」であるべき公務員を保障し得る社会環境が維持されているか。

国の存続にかかわる。

どうする日本！

（日本維新）

1. 時代に即した省庁再編を断行する

経済官庁重視の行政組織から社会福祉重視へと変える。

（産業関連 ―― 農林水産省、経済産業省、総務省の通信関連、国土交通省の建設関連・運輸関連 ―― を整理統合する）

（公共経済関連 ―― 総務省の企画関連、国土交通省の国土関連、環境庁 ―― の融合を図る）

（厚生労働省の充実を図る ―― 社会福祉政策の拡充から場合によっては２省庁体制化）

（新情報化社会に対応し、併せて地域活性化を融合した省庁を新設する）

2. 国会議員定数の削減（半減～３分の１減）と併せ、必要な経費は“歳費”で十分賄う

現在の議員定数は、衆議院465人、参議院248人であるが、その根

拠は昭和25年制定の公職選挙法である。その後多少の手直しはあったが、概ね当初の規模である。

この規模が現時点で適正であるかどうかの判断は難しいが、他の先進国と比べて決して少ない方だとは言えない。

一方、議員歳費については、議員活動に必要な経費は過不足なく支出（政党助成金も加えて考慮）し、議員が活動費に悩むことなく議員活動に専念できるようにする（今の時代、所謂“井戸塀”もいなければ、議員になって「金儲け」しようと考える者も少ない）。

議員定数を削減すれば、歳費の増加も現状の予算規模で賄える。

議員活動に専念するとの意味で、「通年国会」とし、変化の速い国際情勢、社会情勢に常に対応できるようにする。

そして、国民参加の意味で24時間「国会チャンネル」TVを創設する。

3.「国民の公僕」として公務員が誇りと使命をもって働ける環境を保障する

一定の資格試験は必要であるが、「意思と能力」のある人が公務員になれる門戸を大きく開く。

公務員の待遇改善は必至、戦後の人事院勧告制度（民間給与より必ず下回らなければならない）は、今や通じない。

行政もグローバル化している時代、公務員の採用は政府全体での“一括採用”とすべきだ。

「どこの省の役人」でなく「日本の役人」であるのだから。

4.憲法は国民のためにあり、国民が憲法のためにあるのではない

日本国憲法は改正されたことがない（世界でも珍しい例である）。

何故か「国民が自らの意思と行動に自信が持てない」からである。

社会の変化に合わせた改正と同時に、改正によって実体社会を変革する決意が必要だ。

現行憲法は、

・「マッカーサー草案」をベースとしたものであり、極めて理想的、観念的なものと言えよう
・多くの国民にとって、自らの日常と憲法との関係について真剣に考える機会はほとんどない

日本の現状と憲法の関係について、生真面目にその整合性を求めれば、かなりの条文を改正しなければならないだろうが、当面、制定の経緯、時代適合性からして、

・代表民主制の大原則、「一人一票」の保障を明示する（15条、44条等）
・財産権、とくに土地所有権の公共の福祉のための制限を明確にする（29条等）
・衆参両院の役割を明確にする（42条、60条、61条等）
・「自衛隊の認知」のための９条改正
・改正手続きの現実性を考慮し、国会議員半数の発議、国民投票３分の２の賛成とする（96条）

などが挙げられるが、憲法改正によって政治、経済、社会の実態が変革されなければ意味はない。

表 11　省庁再編図（2001 年 1 月 6 日時点）

府省等名	省庁再編以前
内閣官房	内閣官房
内閣府	総理府本府
	金融再生委員会
	経済企画庁
	沖縄開発庁
	（金融庁）
国家公安委員会	国家公安委員会
	（警察庁）
防衛庁	防衛庁
総務省	総務庁
	郵政省
	自治省
法務省	法務省
外務省	外務省
財務省	大蔵省
文部科学省	科学技術庁
	文部省
厚生労働省	厚生省
	労働省
農林水産省	農林水産省
経済産業省	通商産業省
国土交通省	北海道開発庁
	国土庁
	建設省
	運輸省
環境省	環境庁

出典：中央省庁改革のホームページ

表 12　主要先進国の国会議数

国名	国会議員数	総人口(単位：千人)	人口100万人当たりの議員数
中国	2975	1,439,324	2.1
イギリス	1442	67,886	21.2
イタリア	950	60,462	15.7
フランス	925	65,274	14.2
ドイツ	778	83,784	9.3
日本	708	126,476	5.6
ロシア	620	145,934	4.2
スペイン	615	46,755	13.2
ブラジル	594	212,559	2.8
米国	533	331,003	1.6
カナダ	431	37,742	11.4
スウェーデン	349	10,099	34.6
韓国	300	51,269	5.9
スイス	246	8,655	28.4
オーストリア	244	9,006	27.1
ポルトガル	230	10,197	22.6
オーストラリア	227	25,500	8.9
オランダ	225	17,135	13.1
ベルギー	210	11,590	18.1
フィンランド	200	5,541	36.1
デンマーク	179	5,792	30.9
ノルウェー	169	5,421	31.2
ニュージーランド	120	4,822	24.9

出典：グローバルノート － 国際統計・国別統計専門サイト

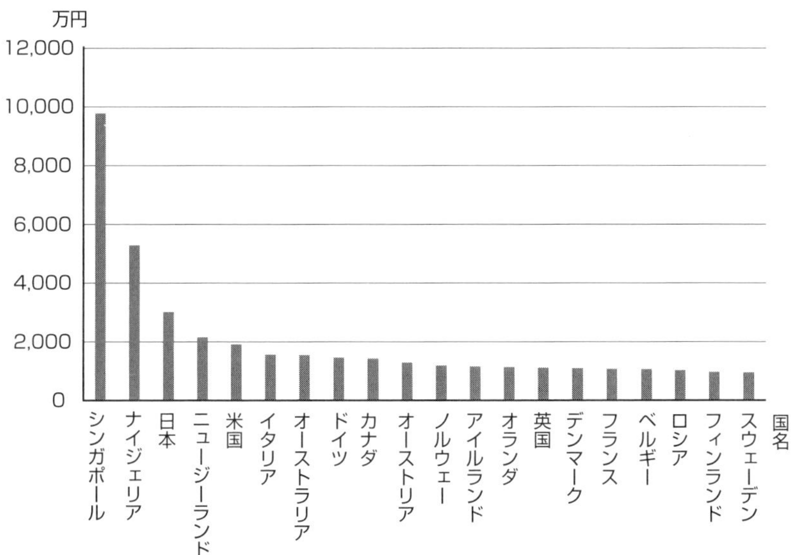

出典：lovemoney.com より作成

図 20　政治家の年間収入の国際比較

表 13　各国歳費比較

<table>
<tr><td>国名</td><td>給与
(平均額/万円)</td><td colspan="2">職務手当</td><td rowspan="3">この他に政党助成金がある</td></tr>
<tr><td rowspan="2">日本</td><td rowspan="2">2,200</td><td>文書通信交通滞在費</td><td>立法事務所費</td></tr>
<tr><td>1,200万円/年</td><td>780万円/年</td></tr>
<tr><td>米国</td><td>1,700</td><td colspan="3">下院：1億円、上院：2億円（ここから秘書給与、通信費、交通費）</td></tr>
<tr><td>英国</td><td>970</td><td colspan="3">議院内閣制の欧州では、政党・会派が政治の中心となるので、議員個人の秘書を認めない国もあり、議員歳費を抑え、会派補助で立法経費をまかなっている。</td></tr>
</table>

出典：産経新聞HPなど

第２章

経済の維新

第１節 「新しい経済視点で経済政策を維新する」

今や、世界に流動する“貨幣”等金融資産は、世界のGDP（約８兆ドル）の４～５倍、またビットコイン等仮想通貨などを入れると、この数倍だという説もある。

そのため、株式、債券等の“金融市場”が肥大化し、実体経済からかけ離れた「過剰流動性」による「第二の市場」が出来上がっている。

実体経済は低迷しているのに株価等は上昇する。“過剰流動”を操る資産家がマネーゲームで市場を動かす。しかし、株価などによって、“本来の市場”である実体経済の状況まで判断しているのが今日の現実だ。

これでは、マネーゲームに関係のない世界のほとんどの人々の経済生活の実態について判断を誤る。

いつの間にこうなってしまったのか。

第１編第２章第４節（国民公共経済計画）でも述べたように、自由主義経済の“市場メカニズム”は、現実には「市場の失敗」等により資源の最適配分を達し得ていない。

前世紀末から主要先進国で主張された「新自由主義」は、市場至上主義の弊害をあらゆる面で世界中に噴出させている（格差社会、地球温暖化、自己中心主義等）。

特に、格差社会の形成は、上記過剰流動マネーゲームの「第二の市場」の出現により、ますますその深刻さが増している。

貨幣が増加しても、それは「第二の市場」で吸収され、資産バブルの生成を加速させるだけである。

ピケティの研究の成果によれば、過去２世紀に及ぶ歴史が証することとされている。富める者の資産収益率は一般の所得成長率を大きく上回る（５％と１～２％）。

経済政策の理論的背景となる「経済学」も近時大きく変遷している。いや、もっと新しい「経済学」の視点が開発されなければならない。

いつまでも「一般均衡理論」、「マクロ経済学」を中心とした経済政策では、上記のような実体社会経済の変化に対応しきれないと言えよう。

例えば、行動経済学、実験経済学、制度の経済学などの理論を参考にした経済政策の立案も必要であろう。

また、「経済活動そのものに最初から“分配”の流れを持たせる」。さらに、「環境再生を創造する循環型経済」といった考え方も重要だ。

どうする日本！

（日本維新）

1. “市場経済”における金融政策の限界を知り、実体経済（実需）を動かす政策を実施

「金を入れれば、物と人が動く」

「インフレは、実需を喚起する」

この理論は通用しなくなった。すでに経済が需要の飽和点に達しているからである。

マクロ経済手法（金融、財政政策等）のみでは不十分、いわば“ミクロ経済手法”とも言うべきキメ細かな「需要者の行動心理に根ざした具体的な手法」が必要だ（行動経済学、実験経済学などの理論を活用するべし）。

また、需要者（消費者、企業等）が将来への不安を抱いていれば、所謂“消費者信頼感”は失われ、実需は喚起しない。

経済政策の重要な手法として、「情報の不完全性」と「将来の不確実性」を取り除くことが重要である（国民の“不安”が何であるかを認識することが極めて重要）。

2. “国民公共経済計画”を策定し、余剰金融資産を活用してこれを実現する

既に何度も述べたように、“市場の失敗”は拡大し、いわゆる“新自由主義”の市場メカニズム万能（人間が経済的に自由になれば、社会の利益を最大にできる）の弊害は社会経済のあらゆる面で噴出している。

市場に任せていては進展しない社会インフラ投資を、第１編第１章第２節（正の遺産）で述べた我が国の国富、特に蓄積された金融資産（個人金融資産、企業内部留保、外貨準備）を「眠らせる」ことなく活用し、これを実施し、国の将来ビジョン“国家像”の１つとしての第１編第２章第４節の“国民公共経済計画”を実現する。

このことは、“眠れる需要”を呼び起こし、社会資本整備を中心とした有効需要を喚起する。

3. 成熟した経済社会では、もはや「成長」に拘らない、「分配」、「環境」、「幸福度」にシフトした政策運営へ転換（維新）する

われら人類が住む地球環境は有限である。“無限の資源”を前提とした“欲望”の資本主義は終焉に向かっているのかもしれない。特に先進工業国においては然り。これからの新興国も同じ道を歩むことになろう（ゼロ金利、ゼロ成長、ゼロインフレ）。

第１編第２章第３節（国民総幸福度指標）で述べたように、“国家像”の最終目的が「最大多数の最大幸福」と考えれば、経済運営は「分配、環境、個人の幸福度」を基軸として、設計、創造したものでなければならない。

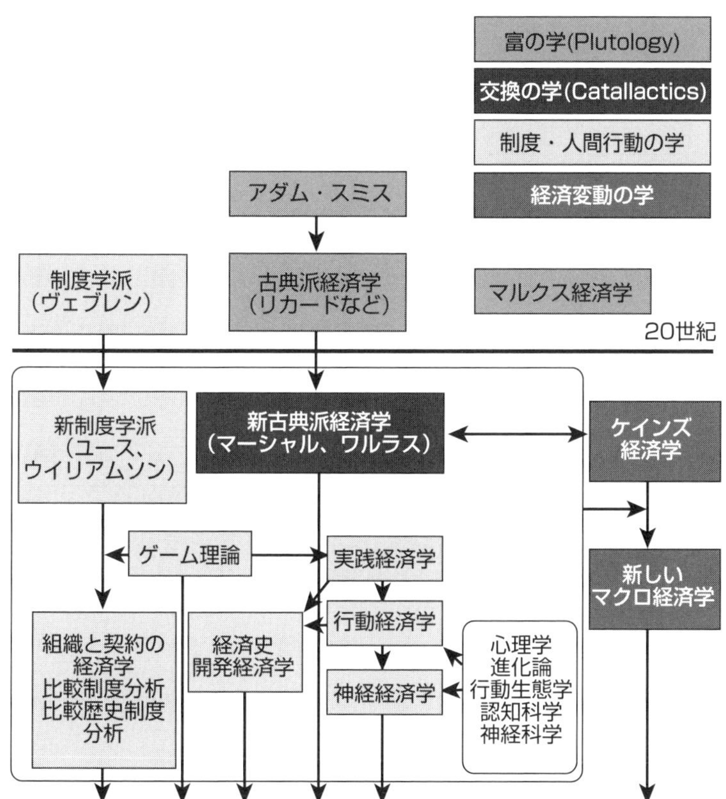

出典：中公新書『現代経済学ゲーム理論・行動経済学・制度論』瀧澤 弘和　2018 年 8 月　p.27

図 21　20 世紀以降の経済学の展開

表 14　事実認識・新しい経済思想

（事実認識）

1.	一日・3米ドル未満20億人
2.	世界の「冨」の99%を、1%の富裕層が所有
3.	2100年　気温4℃上昇

（新しい経済思想）

1.	目線を変える　ドーナツ思考
2.	全体を見る
3.	人間性を育む　社会的適応人
4.	システムに精通する
5.	分配を設計する
6.	環境再生を創造する
7.	成長にこだわらない

出典：河出書房新社「ドーナツ経済学が世界を救う」ケイト・ラワースより作成

第２節　「土地は誰のもの、土地の所有権を公共の福祉のため一定の範囲で制限する」

過って５年の間、毎年上海を訪れることがあった、その間の高層ビル、新空港、空港から市中への高速道路、そしてリニアモーターカー等などそのインフラ整備の速さには目を見張った。発展のスピードには驚嘆する。「土地の私有を制限し、公用を優先する」この原則がなければ決してできるものではない。今の中国を実現した“基盤”の１つであろう。

一方、一坪所有者の反対で「国の表玄関」成田空港の建設に何十年も要したり、工事途中で中断される高速道路や、数多の遅延する街の再開発など、一握りの土地所有者の私権を尊重するあまり、社会インフラ整備が遅れ、計画的国土開発が困難になり、ひいては日本全体の経済発展が立ち遅れる —— こうした事例は枚挙に暇がない。

日本経済の停滞、発展の遅延の根本原因の１つは、「行き過ぎた土地私有権」にある。

ところで、世界の土地所有権に対する認識と制度はどうであろうか。

フランスとドイツは所有の絶対性、不可侵性が強い。しかし、土地と建物は別の不動産とは認めていない。また、土地収用の合理化を図り、市町村に先買権を認めている。

英国では、全国土は国王に属すると考えられ、土地の処分権は持つことができない。また、土地公有化法により土地を公有化でき、開発の時、全て一度公有化される。

米国も英国とほぼ同様である。

各国では、「まず都市計画があり、その土地を収用されたりすることは当たり前であり、かつ、土地を売るときはまず市町村に申告する必要がある」との立場だ。

どの国をとっても、日本ほど私的所有権を絶対的なものとして認めている国はない。

さて、我が国の土地所有の変遷と認識は、まず大化の改新（645年）において、全ての土地と人民を国家の所有とし、私有を認めない（公地公民）というものであった。その後、荘園時代、貴族と寺社が荘園という私有地を事実上持つようになる。そして、武家社会において、封建領主の土地所有と農民の土地所有が全国的に確立し、太閤検地（16世紀末）によって個人に土地所有の概念が初めて認識された。しかし、当時は自分が耕作している田畑であっても、村の皆のものであり、自分の勝手に処分する権利はないという意識が一般的であった。明治維新、1873年の地租改正によって、土地の所有者に“地券”を交付して所有権を認めた。しかし、これも個人の耕地と居住地はその人の私有地として認めたが、村で共同利用されていた山林、原野などの入会地はその対象ではなかった。

現在の憲法には「国土、土地」という文言はないが、土地の所有権は、第29条財産権の保障の中に含まれ、まず土地の所有権が保障され、次に「公共の福祉」に抵触する場合のみ例外的に私有権が制限されると解されている。

しかし、現行憲法マッカーサー原案には、「土地及びすべての天然資源に対する究極的な財産権は、国民の総代表としての国に存する。国は、正当な補償のもとにこれを収用することができる」、「財産の所有には義務を課する。財産は公共の福祉の範囲内においてこれを利用しなければならない。私有財産は、正当な補償のもとに公共の用に供するため、国はこれを収用することができる」とあった。

この考えは、土地は利用されるべきもので、単に財産保持として所有されてはならない、利用する者に分配される、という欧米の認識を踏まえたものであった。

しかし、当時の日本関係者は、ソ連のような土地国有化を連想し、断固反対、修正を迫った。

このことが、戦後の日本で、戦前の「国家優先」から「公共」という中間を飛び越え、逆側の「私人優先」まで振り子を振り切り、とくに土地の所有や利用という点について「私権」のみを主張し、社会的義務を果たさない風潮を醸成したと言っても過言ではない。

狭い国土の中で、同一性の民族なのに、一私人が「この土地は永久に俺の土地だ」と、しがみつかれて、日本民族全体の発展、繁栄が殺がれてよいものだろうか。

第１編第２章（将来ビジョン“国家像”）を実現するためにも、根本的な土地活用政策が必須である。

どうする日本！

（日本維新）

1. 抽象的な国土計画法でなく、公共的土地利用のための有効な実施法を強化すべし

土地基本法、国土利用計画法、国土総合開発法、都市計画法など、現行法制は抽象的な計画法ばかりで実効性に乏しい。第１編第２章第４節（国民公共経済計画）の実現のためにも、新しい法制度が必要かもしれない（必要があれば、憲法改正も行うべし）。

「土地収用法」等の現行の実施法を強力に運用するべき。

収用委員会の人的構成の抜本的強化、補償制度の充実等、その気になればいろいろ手段はあるはずである。

また、裁判所は、我が国の「土地私有権」の変遷と異常性を認識し、時代が要請する「公共の利益」を重んじ、国民総幸福度を最大にする目的的判断をすべし。

2. 遊休、休眠土地を積極的に活用し、都市部再開発、地方活性化のために利用する

まずは、荒廃、耕作放棄農地（約70万ヘクタール、なお全耕作農地450万ヘクタール）と、都市近郊で土地の値上がりを待つのみとなっ

た“生産緑地”（不公正な「土地成金」の温床）を活用する。

また、10年後の空き家数は、2000万戸（空家率は30％）と予測される。これの有効利用のための法制度、社会システムの構築が急がれる。

いずれにしても、土地所有の“私権”の行き過ぎを早急に改革しなければならない。

3. 東京一極集中解消のためにも、新しく政治首都を作り、併せて皇居を京都に移転する

バランスの取れた国土総合開発、地域振興、そして災害時での危険分散など、こうしたことを本気で実現するために、思い切った“列島改造・都市再編”を行わなければ、「百年河清を待つ」と言うことかもしれない。

政治機能を中心とした首都を作り、“首都機能”（政治、経済、社会活動）を分散する。

また、皇居を東京に置く意味は、どこにあるのだろうか。

皇居の占める面積は約35万坪にものぼる京都御所を拡張し皇居を移転すれば、皇居跡は東京都市再編の起爆剤になる。

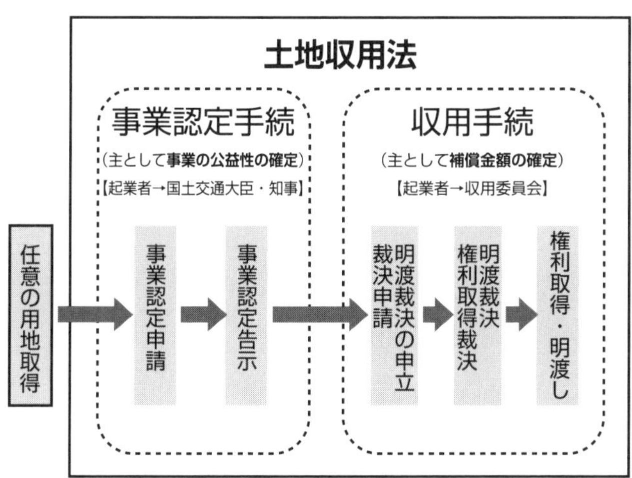

出典：国土交通省北陸地方整備局用地部

図 22　土地収用制度概

農地に関するあらゆる規定は、農地法にその根拠があるが、その農地法は、「国民の食糧を生産する、かけがえのない基盤である農地の、所有や利用関係の仕組みを決めた基本的な法律」と定義されている。

また同法では、農地は耕作者が所有することを適当と認め、耕作者の地位の安定と生産力の増進を図ることを目的としている。これは、いくら仕事に打ち込んでも搾取されていた小作農の時代をしのばせる「農業保護」「農業重視」の名残だと言える。

また、1991 年 9 月に生産緑地法が改正され、市街化区域内の農地については、保全する農地（生産緑地）と宅地化する農地（宅地化農地）とに区分されることになった。生産緑地地区に指定されると、その土地は農地以外には使用できなくなるが、30 年たつか、農業ができなくなるような事情になれば、自治体が買い取ってくれる。

また、この地区に指定されると、税制上の優遇措置が受けられる。このような措置が取られたのは、80 年代の終わりからバブル期にかけて、スポーツ施設建設のために農地を手放す人が増え、国が危機感を感じたからだ。

出典：国土交通省 HP

図 23　生産緑地法（要旨）

○ 農地面積は、主に宅地等への転用や荒廃農地の発生等により年々減少し、平成27年には449万6千ha。
○ 荒廃農地（客観ベース）の面積は、平成26年には27万6千haであり、そのうち再生利用可能なものが約半分の13万2千ha。
○ 耕作放棄地（主観ベース）の面積は、年々増加し平成27年には42万3千ha。

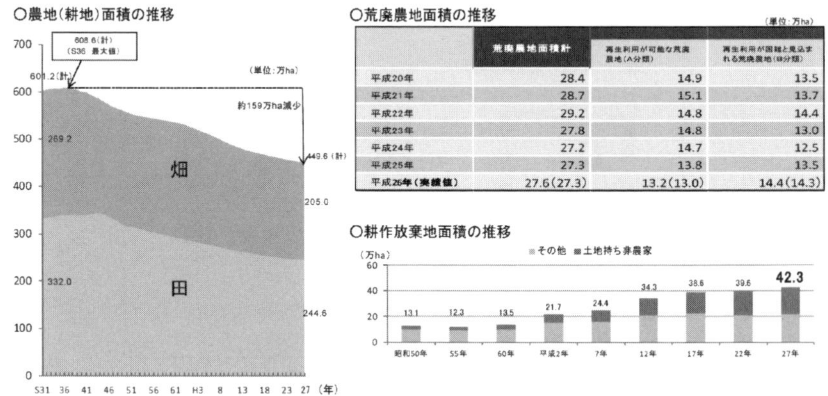

	荒廃農地面積計	再生利用が可能な荒廃農地（A分類）	再生利用が困難と見込まれる荒廃農地（B分類）
平成20年	28.4	14.9	13.5
平成21年	28.7	15.1	13.7
平成22年	29.2	14.8	14.4
平成23年	27.8	14.8	13.0
平成24年	27.2	14.7	12.5
平成25年	27.3	13.8	13.5
平成26年（実績値）	27.6(27.3)	13.2(13.0)	14.4(14.3)

出典：経済財政諮問会議　2030 年展望と改革タスクフォース第 4 回（平成 28 年 11 月 14 日）会議資料より

図 24　農地・耕作放棄地面積の推移

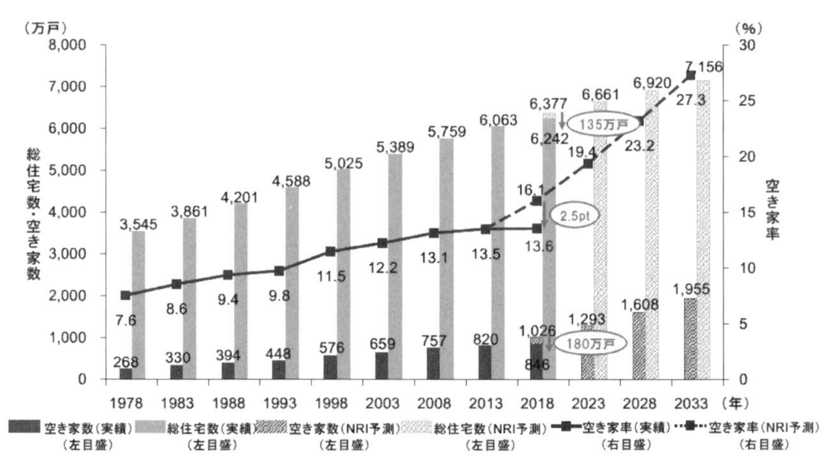

出典：野村総合研究所　2030 年の住宅市場と課題　(2019 年度版)　P15

図 25　総住宅数・空き家数・空き家率の推移と予測

表 15　皇居などの皇室関連施設

	皇室用財産一覧表（令和3年3月31日現在）	
名称	土地（平方メートル）	建物（延べ面積)(平方メートル）
皇居	1,150,436.87	108,080.18
赤坂御用地	508,920.96	25,672.89
常盤松御用邸	19,417.33	1,957.28
那須御用邸	6,625,665.10	6,953.20
須崎御用邸	384,413.22	5,236.90
葉山御用邸	95,796.46	3,625.70
高輪皇族邸	19,976.10	2,972.11
御料牧場	2,518,500.38	21,102.82
埼玉鴨場	116,415.57	1,110.76
新浜鴨場	195,832.16	1,091.95
京都御所（大宮，京都仙洞御所を含む）	201,933.86	16,299.99
桂離宮	69,535.33	2,101.97
修学院離宮	544,715.57	1,186.49
正倉院	88,819.06	5,584.93
陵墓	6,515,134.75	6,565.82
計	19,055,512.72	209,542.99

出典：皇室用財産一覧表　宮内庁ホームページ

第３節 「民主国家では、国民が行政に求めるサービスを決め、そのコストは税金等で国民が負担する。当たり前のこと」

「国」の役割とは何か。

近代民主主義国家では、その国家像は、その国に期待される役割によって大きく次の２つに大別される。

“夜警国家”―― すなわち個人が自由に経済活動を行えるよう、国家の機能は、外敵からの防衛、国内の治安維持、必要最小限の公共事業等にとどめるべしという国家観、つまり、「最小の政府が最良の政府」との考え方

“福祉国家”―― すなわち国民の福祉増進を国家の目標とし、単に消極的な秩序維持にとどまらず、積極的に国民生活の安定と繁栄を推進する国家観、具体的には貧困の解消、生活水準の安定向上、富の平等化、福祉の増進等を役割とするとの考え方

現代国家の多くは、後者の“国家像”に該当すると言える。

先進各国は、その量と質の差はあるが、国情に合わせた福祉国家の道を歩んでいる。そのために国民はどの程度の負担を許容しているか。

国民負担率	日	米	独	英	仏	スウェーデン
(国民所得に対する税と社会保障負担の割合)	43	33	53	47	69	59
人口千人当たりの公務員数	42	44	70	78	96	

現在、我が国の国民負担率は、主要先進国に比し低い水準にある。また、歳出の内容（社会保障費、文教費、国防費等）も他国に比し低く、目指している“福祉国家”の確たる国家像が、明確になっていると言えるものではない。

これは、国民がいかなる行政サービスを政府に期待し、どこまでのコ

ストを負担するかについてのコンセンサスが欠如していることを意味すると言えよう。

換言すれば、第１編第２章（目標とする国家像）で述べたように、“日本の国家像”について具体的に議論し、国民全体のコンセンサスを形成することがまず必要である。

どうする日本！

（日本維新）

1. どこまで政府に期待するか（国民全体でコストを負担する行政サービスとは）

現代民主国家の政府の役割は、大きく分類すれば「国防、教育、社会保障そして社会資本投資」である。すなわち、自由（経済）主義下では、個人の自由が尊重されるとともに競争が促進される。そして効率的な経済活動が結果として全体の繁栄と幸福をもたらすとの前提である。

しかし、個人の経済活動はあくまで「個人の欲望と幸福」がその動機であり、「全体の幸福」のため、「公共の利益」のための行動は期待しがたい。

そこで、政府の役割が登場する。

外的侵略、自然災害に対する防衛、社会的弱者（病人、障碍者、高齢者等）への社会保障、そして国民育成のための教育などである。

我が国の行政サービスは、戦後４分の３世紀、システムとしてはかなり確立したものとなっているが、なかには制度疲労を起こしているものもあり、また根本的な議論が欠けるものもある。

議論の視点として一例を挙げれば、

― 国防 ―

・自力による“自主防衛”には何が必要か
・グローバル国際社会で“専守防衛”の意味するものとは

― 自然災害・社会インフラ ―

・老朽化、時代遅れの社会インフラの全体像を把握しているか

・「宇宙開発」より「地震対策」へのお金の使い方（百年先の夢か足元の危機か）

― 年金―

・年金生活者の所得水準をどこに置くか（ベーシックインカムの考え方と連携して）

・「行き過ぎた公平感で」あまりにも複雑となった制度（国民の解りやすいシンプルなシステムへ）

― 医療・介護 ―

・介護と医療の一体化したシステムの構築

・公的医療保険の限界を知り、私的医療保険の充実を図る

― 教育 ―

・６・３・３・４制から９・３・４とし、義務教育一環そして完全無償化する（義務教育分割の無駄を解消する）

・大学教育（高等教育）は、教育にもっと重点を置く（教育教授と研究教授を分けて考える方法もありうる）

2. 財政再建は、「入りを計る」ことを中心に、「出を制す」には限界がある

我が国の累積財政債務は、先進国中最悪である。防衛費もそれほど高くないにもかかわらず、前述したように公務員数も先進国の中で相対的に少ないにもかかわらず、である。

それは、時の政権が選挙を慮って国民に対し「甘い財政支出ばかり匂わせ、それに伴うコスト負担については蓋をする」ことを重ねてきたからである。

行政サービスのコストは徴税などで国民が負担するのは当たり前、「天から金は降ってこない」のだ。

では、「入りを計る」の提案は、まずは“税制”の改革を行わねばならない。

- 徹底した累進所得課税を実施する（現在の最高所得税率 45％は低すぎる。1974 年までは 75％であった。さらに年間５億円を超える所得には 100％の課税 ― これは富裕者がお金を使う促進剤になる）
- 資産課税を抜本的に拡充する ― 相続税、固定資産税、キャピタルゲイン税等など（例えば、総資産 10 億円を超える部分に 100％近い課税、― 個人にそんな過剰な蓄財はいらない）
- 消費税をもっと上げる（先進国の中で日本は最も低い。欧州諸国は 10 － 20％、さらに直間比率も日本は間接税割合が低い水準である）

そして、「国有財産」の活用

- 国有財産現在額は 102.8 兆円、そのうち普通財産（庁舎などの跡地、物納された土地、政府保有株等）が 73.8 兆円。これらの財産を積極的に民間に売却し、国庫収入を図る（国民はこの財産の存在をあまり知らない）

そして、公債発行（現在の発行残高は、国が約 900 兆円）

- 日本国債は、そのほとんどが国内消化されている。当面の政府財源を“超長期国債”、“永久国債“で補填するのも１つの考えであろう（国債を購入する人は、その多くが余剰資金を持った資産家である。いわば、隠れた“累進所得税”の役割を果たしているとも言えよう）

「出を制す」は難しい。とくに現代国家が“福祉国家”像を目標としていればなおさらである。また、財政の“所得再分配機能”を考慮すれば、富の偏在と格差社会の形成が存在すればするほど難しくなる。

しかし、前述したような「既得権益」、「地域権益」が選挙を利用し獲得した財政措置（例えば農業補助金、公共事業費等）は、思い切って削減しなければいけない（一人一票でない歪んだ選挙制度がその元凶である）。

また、第２編第１章第７節（統治機構の維新）で述べた国会改革、省庁再編を実行すれば、自ずと「出を制す」は実現できる。

3. 毎年度の税制改正のやり方そして徴税の執行は、公平かつ公正なシステムとしなければならない

税制改正は、政府税制調査会が中長期視点から税制の在り方を検討する一方、毎年度の具体的な税制改正事項は与党税制調査会が「与党税制改正大綱」をまとめる。これを踏まえて「税制改正の大綱」が閣議決定される。

政権与党が、広く国民の関心事である「税」について発案権を持つことはそれなりに一理あろうが、党利党略に流される危険もあり、もっと公平公正なシステムとすべきではないか（たとえば、“政府税調”に任せる）。

徴税機能を強化し、いわゆる「クロヨン（9・6・4）」問題を解消し、税収を上げるとともに、国民に公平な納税感を回復し、納税道義を醸成する。諸外国が行っているような納税者番号制のようなものも必要だ。

悪質な未納税者、脱税者には思い切って参政権を制限するなど、ある程度の“市民権”の制限もやむをえない。

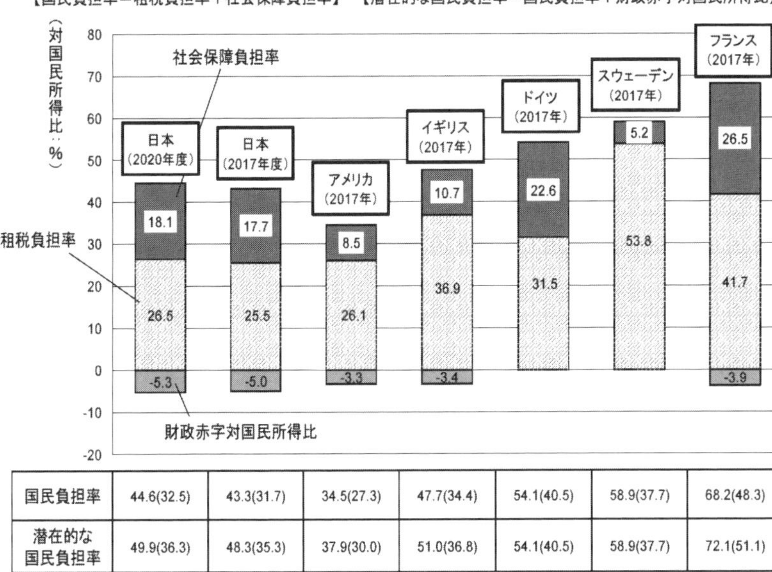

国民負担率	44.6(32.5)	43.3(31.7)	34.5(27.3)	47.7(34.4)	54.1(40.5)	58.9(37.7)	68.2(48.3)
潜在的な国民負担率	49.9(36.3)	48.3(35.3)	37.9(30.0)	51.0(36.8)	54.1(40.5)	58.9(37.7)	72.1(51.1)

出典：財務省ホームページ　（対国民所得比：％（括弧内は対 GDP 比））

図 26　国民負担率の国際比較

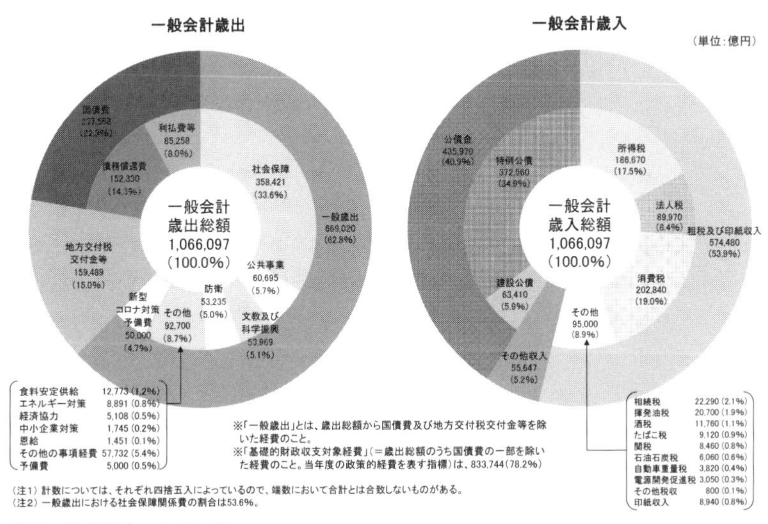

出典：財務省ホームページ

図 27　令和３年度一般会計歳出・歳入の構成

	1970	1980	1990	2000	2009(予算ベース)
国民所得額（兆円)A	61.0	203.2	348.3	371.6	367.7
給付費総額（兆円)B	3.5（100.0%)	24.8（100.0%)	47.2（100.0%)	78.1（100.0%)	98.7（100.0%)
(内訳）年金	0.9（24.3%)	10.5（42.2%)	24.0（50.9%)	41.2（52.7%)	51.5（52.2%)
医療	2.1（58.9%)	10.7（43.3%)	18.4（38.9%)	26.0（33.3%)	31.0（31.4%)
福祉その他	0.6（16.8%)	3.6（14.5%)	4.8（10.2%)	10.9（14.0%)	16.2（16.4%)
B／A	5.77%	12.19%	13.56%	21.02%	26.84%

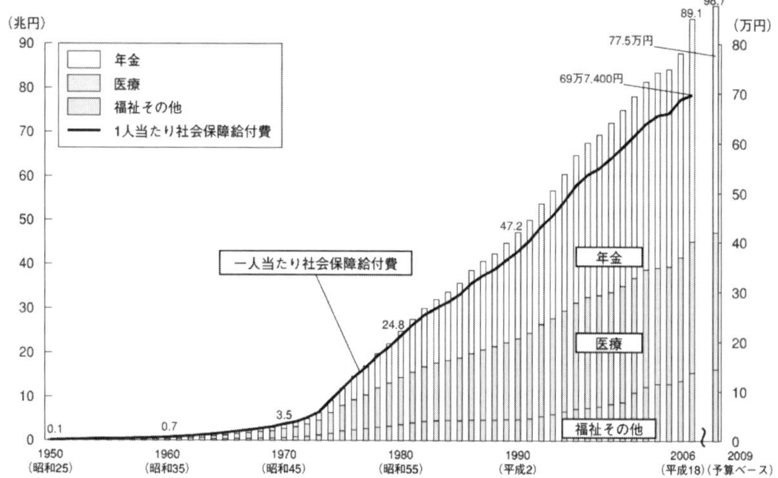

資料：国立社会保障・人口問題研究所「平成18年度社会保障給付費」、2009年度（予算ベース）は厚生労働省推計。

（注） 図中の数値は、1950、1960、1970、1980、1990、2000及び2005並びに2009年度（予算ベース）の社会保障給付費（兆円）である。

出典：厚生労働省ホームページ

図28　社会保障給付費の推移

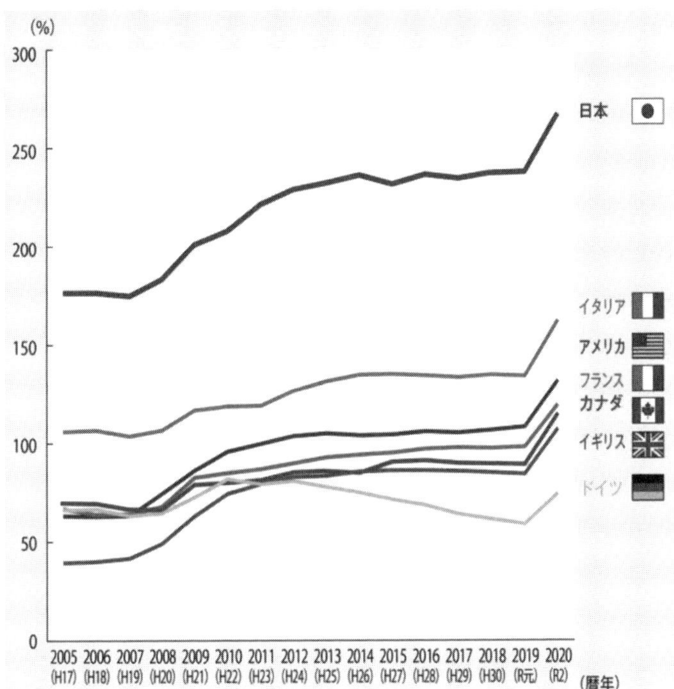

出典：財務省ホームページ

図 29　主な国の債務残高

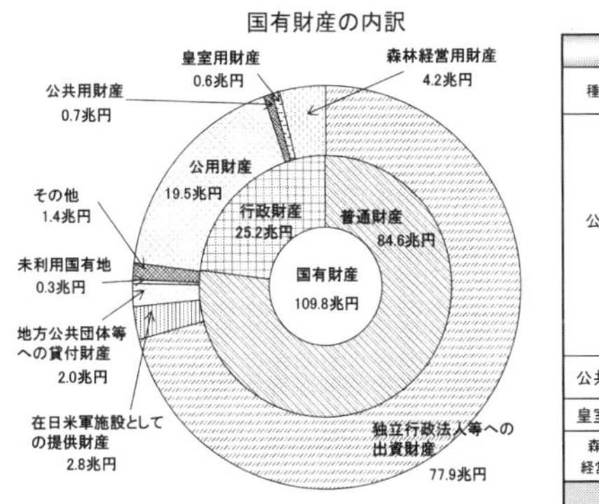

土地の内訳　【令和元年度末現在】

行政財産		
種類	内訳	価格（兆円）
公用	防衛施設	4.1
	空港施設（東京国際空港等）	0.9
	国会施設	1.1
	矯正施設（刑務所等）	0.3
	裁判所施設	0.4
	その他	4.9
	小計	11.9
公共用	新宿御苑、国営昭和記念公園等	0.6
皇室用	皇居等	0.6
森林経営用	国有林野事業	1.0
計①		14.3

普通財産	
内訳	価格（兆円）
在日米軍施設としての提供財産（横田飛行場、横須賀海軍施設、岩国飛行場等）	2.0
地方公共団体等への貸付財産（代々木公園、大阪城公園等）	2.0
未利用国有地	0.3
その他（山林原野等）	0.5
計②	4.9
総計（①＋②）	19.3

（注）単位未満を切り捨てているため、計において一致しない場合があります。

出典：財務省ホームページ

図 30　国有財産の現在額

第４節 「企業は、資本主義社会の担い手であり、健全な経営と社会的使命を果たす」

我が国企業は、個人企業が約 240 万強、会社企業が 170 万強で企業総数約 410 万である。会社企業は、株式会社と有限会社が相半ばし、そのほとんどを占める。

株式上場している公開企業は約 4 千社で、その総売上額は 560 兆円（2018 年）と、我が国経済に占める位置づけは極めて大きいと言えよう。

有限責任の株式会社は、資本と経営の分離を可能にし、市民に散在する資金を吸収し、纏まった資本を集積することを可能にした。また、資本主義各国は株式等の証券流通のため、証券市場を開設した（1817 年ニューヨーク、1878 年東京取引所等）。

こうして会社企業は、資本主義社会の主要な経済の担い手となった。

このことにより、現代社会の２つのシステム、民主主義と資本主義自由経済を具体化する“枠組み”として、政治面での議会制民主主義（間接民主主義）と同様に、経済面での企業民主主義（資本民主主義）が確立されたと言えよう。

議会制民主主義では、主権者は国民、そしてその付託（選挙）を得て議会と行政組織が民主政治を行っていく。これと同じように、企業民主主義では、主権者は株主（投資家）、その付託を得て取締役（会）と社員が企業活動を行う。

現代の資本主義社会では、会社企業とりわけ公開企業の運営が、健全な経済の発展にいかに枢要であるか自明と言える。

かって、世界企業コカ・コーラ社会長のスピーチを聞いたことがある。

「企業は売り上げを伸ばし、利益を獲得することが目標であるが、しかし、売れるからと言っていくらでも製造するということではない。地球上の資源には限りがあり、企業は地球環境の持続的な維持を念頭に置いて企業活動をすべきである」と。企業の社会的責任を強調した演説であった。

一方、それほど昔でないエンロン事件、そして今日のゴーン元日産会長事件や、その他諸々の「強欲な」経営者の存在を見ると、自己中心のカネの亡者の経営者は、枚挙に暇がない。

ところで、企業の資金調達は、銀行等からの融資を受ける方法（間接金融）と株式、社債等を発行する方法（直接金融）に大別できる。

日本企業は従来、間接金融中心であったが、今や直接金融が中心となりつつある。

そして今世紀に入り自己資本充実が進み、特に大企業の“内部留保”は膨大なものとなりつつあり、約500兆円近いものとなっている。この余剰金は、言わば“遊休資金”とも言えよう。

健全でかつ積極的な“意のある”経営者は、この資金を経済活動に投資するのが使命であろう。それが経済成長の１つの原点である。

どうする日本！

（日本維新）

1. 企業民主主義の主権者である株主（投資家）は、投機家でなく“真の投資家”たれ

　携帯電話で日々、株の売買をする者が果たして“真の投資家”だろうか。

　今日のような金融資本主義社会では、一般市民への啓蒙教育（例えば学校での株等金融システムの教育）も重要であるが、同時にマスメディアの一貫性のある質の良い情報提供も欠かせない。また、米国のカルパース（カリフォルニア州年金基金）や英国のハーミーズ（英国最大の年金基金）のような健全な機関投資家の育成も肝要であろう。

　株主（投資家）は、企業民主主義の主権者であることを認識し、株主総会（言わば政治における「議会」）などで「声を出す株主」にな

らなければ健全な企業活動は担保できない。

また、コロナ・パンデミックで明らかになった医療供給体制の非合理性を早急に正さなければならない。

2. コーポレート・ガバナンスは、社長の権限範囲とそして株主総会の活性化（有意化）にある

十数年前、上海で開催されたOECD経済委員会の討論会「コーポレート・ガバナンスのあり方」に参加した。世界中で企業ガバナンスについての議論が盛り上がっている時である。各国の熱心な議論の末、「たとえ委員会制度にせよ社外取締役制度にせよ取り入れたところで、その人事権を社長が握っている以上、真のガバナンスは担保できない」との何とも言い難い結論であった。

社長の人事権を離れた、言わば“独立取締役”が必要という意味でもあった。

取締役の個々の「役員報酬」は開示すべきである。自分の価値を企業主権者である株主に秘匿しなければいけないような取締役では健全なガバナンスは期待できない。

総会直前になって、時には数億円もコンサルタントに支払って“勉強会”をやらなければならないような役員では心許ない。

このような役員では、500兆円にも及ぶ内部留保を蓄積するばかりで、新しい事業展開に挑戦し、国際競争に勝っていく企業経営は望み得ない。

3. “企業価値”は、そのビジネスの持続可能性、社会貢献、将来の技術開発力などで判断すべし

企業活動、投資行動のグローバル化に伴い、アングロサクソン企業会計基準が国際化し、キャッシュフロー等短期的な視点が強調されている。言わば「今、この企業が解散すればいくらの財産的価値が残る

か」といった視点で、直ぐに利益創出に結びつかない長期戦略投資、R&D 等は評価しにくい基準と言える。

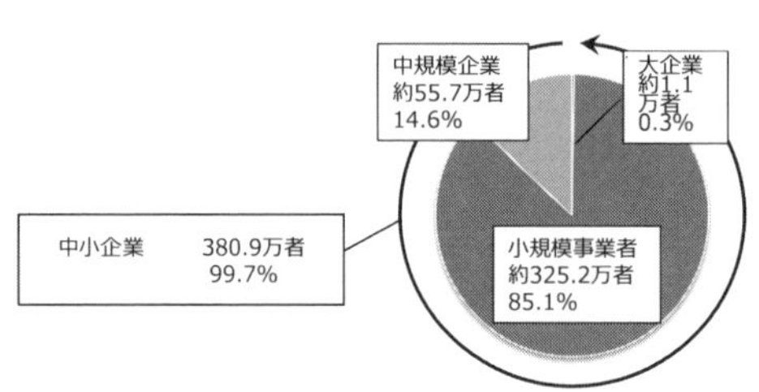

	企業数	従業者数
大企業	1.1万者	1,433万人
中小企業	380.9万者	3,361万人
うち小規模事業者	325.2万者	1,127万人

（資料）「平成26年経済センサス－基礎調査」再編加工

出典：財務省ホームページ

図 31　日本の企業数（全体）からの上場企業数（割合）

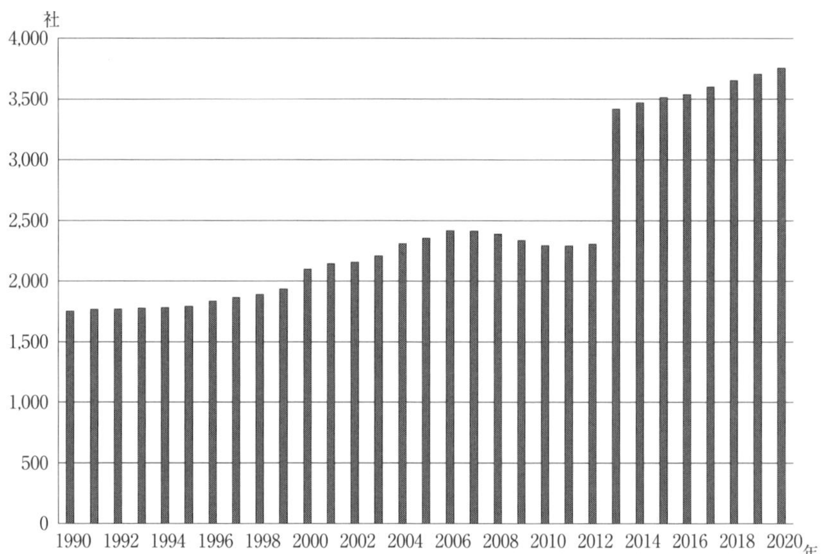

出典：日本取引所グループホームページ

図 32　上場企業数の推移

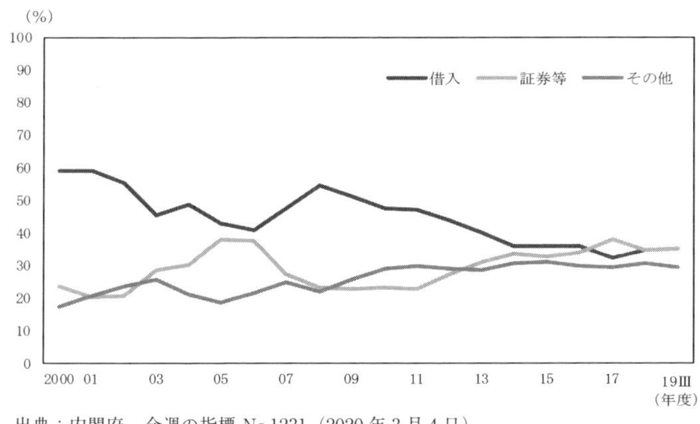

出典：内閣府　今週の指標 No.1231（2020 年 3 月 4 日）

図 33　民間非金融機関による資金調達の構成比

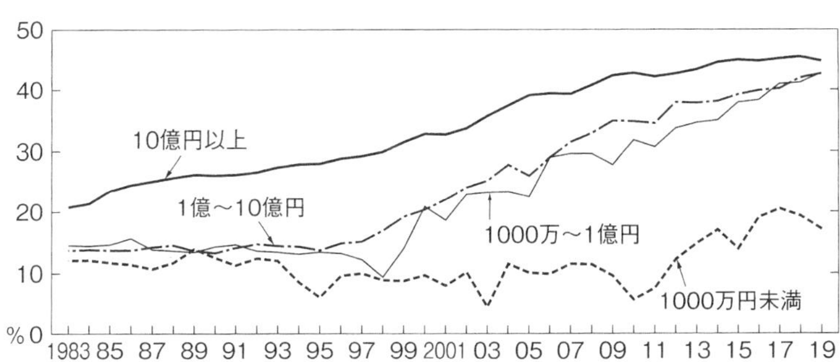

資料は上図に同じ。金融・保険業を除く。自己資本比率は、自己資本を総資本で割った比率で、低すぎると資金調達などの安定性に欠ける。

図 34　資本金規模別の自己資本比率

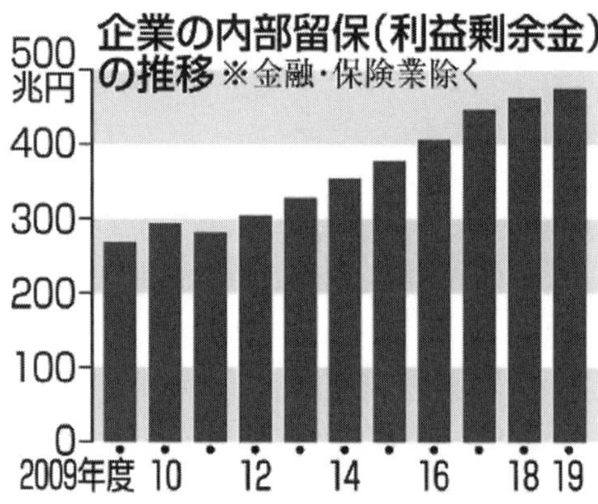

出典：共同通信社 2020 年 10 月 30 日

図 35 「内部留保」の推移

第５節 「何のために働くのか、パンのみではない。これからは労働の量よりも質の問題が重要である」

我が国は、戦後の急速な経済成長を背景に、終身雇用や年功賃金制といった雇用慣行が、企業・官庁に定着した。経済発展のためには、安定した人的資源が不可欠であったからである。こうした雇用慣行が従業員に組織への帰属意識、忠誠心を醸成した。従業員にとっても安定した生活のための安定した職場が不可欠であった。

しかし、今世紀に入り、日本の労働市場は、「非正規雇用形態」の定着、「働く人の意識」の急速な変化により、その”質“は大きく変わろうとしている。

また、前世紀末からの驚異的なIT技術の発展かつその経済社会生活への浸透、そして世界中が“ネット”で結ばれる“ネット・グローバル社会”の形成により、労働市場においても、その「働き方」の“質”及び“量”に大きな変化をもたらしている。

このことは、最近の「コロナ・パンデミック」による“リモート・ワーク”、“テレ・ワーク”の例を見るまでもなく、あらゆる職場において、その“働き方”は急速に変化している。

また、“量”（労働力）の面においては、少子高齢化・人口減少時代に突入している我が国は、今までの経済規模そして経済成長を維持しようとすれば、ITの導入、技術開発による生産性向上があるにせよ、近い将来労働力不足は避けられない課題と言えよう（2030年には、約600万人の人手不足が生じるとの試算もある）。

どうする日本！

（日本維新）

1.「働く人」が、自らの職業に意義を見出し、日々“幸福感”を感じ得る職業環境（労働市場）を整える

第１編（将来ビジョン）で述べたように、最終目標が国民の「最大多数の最大幸福」にあるとすれば、日々の過半数を過ごす「職業生活」に多くの人が幸福を感じることが極めて重要である（人はパンのみで生きるものではない）。

そのためには、職場環境が単に「効率」を追求するのみでなく、その職業が社会の構成員として欠かせない役割を担っているという意識を持つことである（古い言葉だが「職業に貴賎はない」、どの職業も社会の一構成員に過ぎない）。

また、労働市場の流動化が定着した今日、職業選択の自由度は最大限確保しなければならない。したがって、選択を制限する“資格試験制度”は、今日の高等教育の普及を鑑みれば、最小限にすべきである。試験の存在、試験の内容が長期間見直されず、既得権益者の擁護になっていないか。日米独の公務員採用制度を比べると、統一した採用試験があるのは日本のみである。

2.「非正規雇用形態」が拡大・定着する今日、いかに従業員に企業への帰属意識を維持してもらえるか

デパートで売り子の人に、他の売り場を尋ねてもほとんど答えられない。「自分の帰属する会社だから勉強しよう」という気持ちはほとんど感じられない。

「非正規雇用形態」は、労働市場の流動性を促進したが、前述したような「日本的経営」の良さは急速に失われつつある。この雇用形態は近時欧米に倣ったものであるが、どちらかと言えば企業の効率的経営を目論んだ競争力強化のための手段と言えよう。

果たして、組織への帰属意識が強く、同時に安定を尊重する日本の職業風土に相応しいかどうか。

まずは、正規職員と非正規職員の非合理な物質的、精神的待遇の格差を具体的になくすことである（１つは、最近の最高裁の判決にみられるような具体的な基準を地道に合意形成していくことであろう）。

3.「人生百年時代」、「女性の社会進出」、「人の国際化」、「ロボット等技術開発による省力化」、労働力の“量”の問題の解は選択肢が多い

- まずは、健康老人に働いてもらう。最も可能性が高いのは、同じ職場で給料削減（半減）定年延長または再雇用であるが、問題は職場内での上下関係（昔の部下に従って働くのは難しい）
- そして、女性に働いてもらう。欧米に比べればまだまだ女性の社会進出は低い。これは男性側の責任も大きい。育児休暇を女性と同じ比率で男性に半強制的に取らせる。これも一案（イケメンよりイクメンを尊重する）
- 外国人労働力への期待は、慎重に時間をかけて行う。日本人の国際化の程度を考えれば、急速な外国人在住者の増加は、深刻な社会問題を惹起する可能性が高い
- 一部の調査によれば、10～20年後にはロボット等による人間への代替は50%に及ぶ。これを一概に信じるわけにはいかないが、今日のIT技術の目覚ましい発展を考えれば、「働き方の変化」、「職場概念の変化」はそう遠くない将来確実にやってくるだろう。人とITロボットの共存社会、映画で見る未来社会はそう遠くない

	1位	2位	3位	4位	5位
20代	生活・家族のため（63.6%）	自由に使えるお金が欲しい（59.1%）	貯蓄するため（48.1%）	自己成長のため（13.0%）	社会人としての責任（8.4%）
30代	生活・家族のため（74.0%）	自由に使えるお金が欲しい（51.3%）	貯蓄するため（42.9%）	自己成長のため（15.6%）	自己実現能力を活かす（9.1%）
40代	生活・家族のため（83.8%）	自由に使えるお金が欲しい（38.3%）	貯蓄するため（21.4%）	仕事が好き・面白い（15.6%）	社会人としての責任（12.3%）
50代	生活・家族のため（82.5%）	自由に使えるお金が欲しい（42.2%）	貯蓄するため（22.7%）	仕事が好き・面白い（19.5%）	社会・人の役に立ちたい（13.6%）

出典：オウチーノ総研調査

図 36 【年代別】あなたの働く目的は何ですか？

表 16 日本の主な資格試験（国家試験）

独立可能な資格	公務員系資格
公認会計士（補）	国家公務員Ⅰ-Ⅲ種
税理士	国会議員政策担当秘書
弁理士	国税専門官
社会保険労務士	日本郵政公社職員
司法試験	衆議院事務局職員（Ⅰ-Ⅲ）
司法書士	参議院事務局職員（Ⅰ-Ⅲ）
行政書士	防衛庁職員（Ⅰ-Ⅲ）
不動産鑑定士・鑑定士補	裁判所事務官（Ⅰ-Ⅲ）
宅地建物取引主任者	家庭裁判所調査官補Ⅰ種
建築士	自衛官（2等陸・海・空）
医師国家試験	警察官（Ⅰ-Ⅲ）
歯科医師	入国警備官

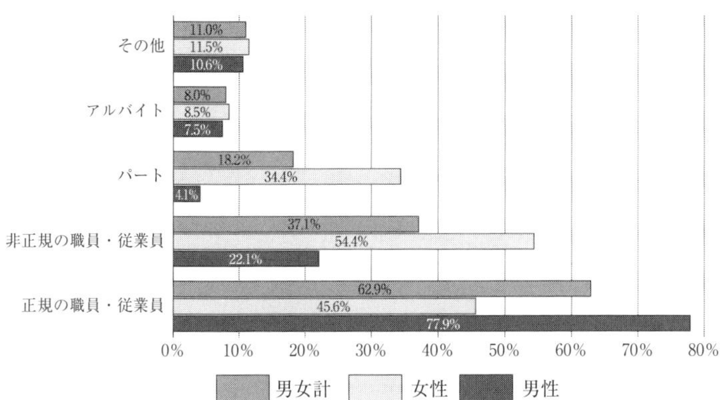

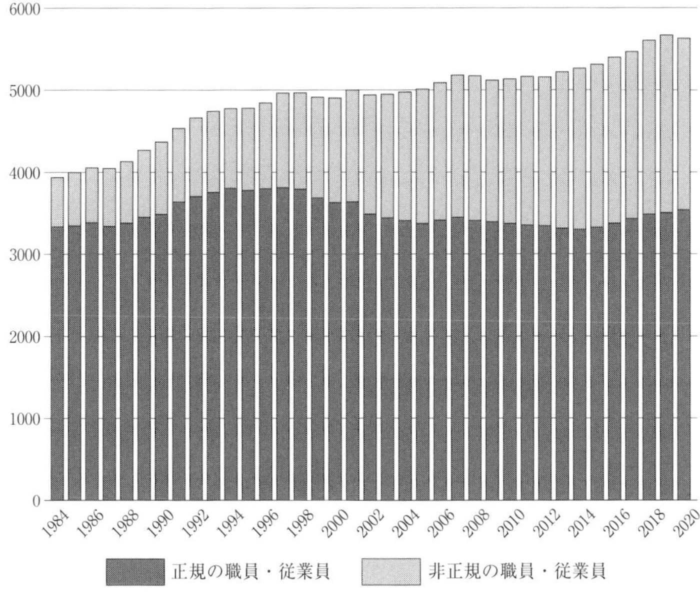

出典：独立行政法人労働政策研究・研修機構

図 37　雇用形態別の雇用者構成比（2020 年）

人手不足数、実質賃金の2030年までの推移

実績 予測

2017年 1,835円
2020年 1,910円
2025年 2,000円
2030年 2,096円

実質賃金（時給）

人手不足数

121万人 384万人 505万人 644万人

2017年 2020年 2025年 2030年

出典：パーソル総合研究所「労働市場の未来推計 2030」

図 38　2030 年までの人手不足の推移

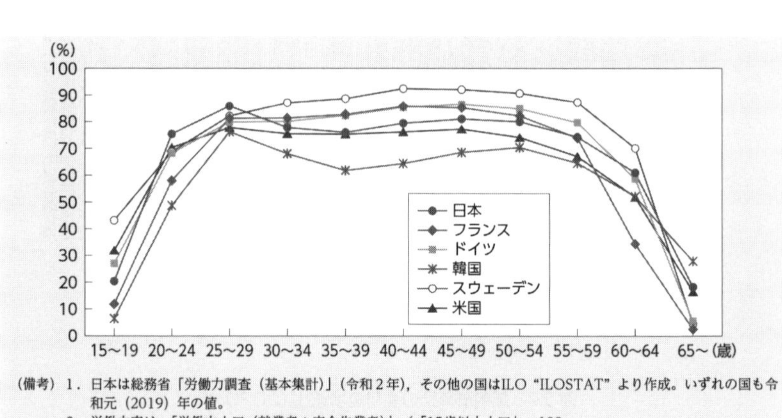

出典：男女共同参画白書 令和３年版　p.100

図 39　主要国における女性の年齢階級別労働力率

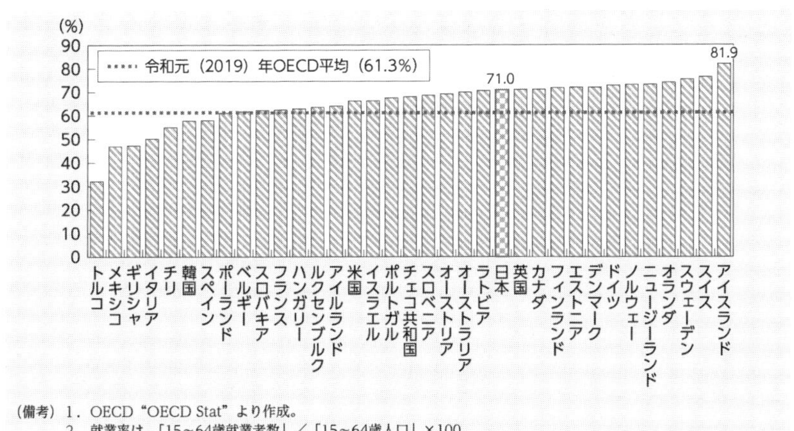

出典：男女共同参画白書 令和３年版　p.98

図 40　OECD 諸国の女性の就業率

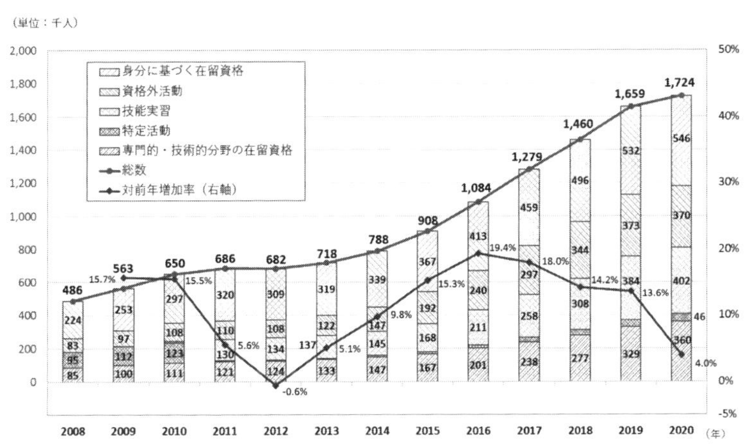

出典：厚生労働省「外国人雇用状況」の届出状況まとめ（令和２年 10 月末現在）

図 41　在留資格別外国人労働者数の推移

第6節 「公正で将来の予測可能性の高い情報を提供し、消費性向を増大し、個人消費、企業投資を喚起する」

国の総需要は、大別すると民間消費（個人消費、企業消費）、政府消費、固定資本形成そして輸出である。先進各国の総需要は、その大半（約70%）が民間消費であり、我が国もそうである。個人消費は60%強を占めており、言わば需要を喚起して経済成長をするためには、この需要分野がカギを握っている。

したがって、この分野の“消費性向”を増進することが、何よりも経済成長にとって肝要である。

一方、我が国の貯蓄性向は、例えばその貯蓄率（可処分所得から消費を引いて求めた貯蓄を可処分所得で割って求めたもの）が、かっての高度経済成長時の高貯蓄率ではないにしても先進国並みである。これは日本が高齢化社会になったことにもよる。

いずれにしても、今や蓄積した個人金融資産は1800兆円、需要喚起にはあり余る金額であろう。

国民の貯蓄目的は、今までは住宅資金のため、教育費や結婚のため、そして老後への備えであったが、今日において“貯蓄”の意味は何であろうか。

数十年前からの驚異的なIT技術の発展、ネット・グローバル社会の形成により、個人、企業ともにその消費行動は様変わりしつつある。すなわち、2017年の国内電子商取引はBtoCで16.5兆円（前年比9.1%増）、BtoBで317.2兆円（前年比9.0%増）と拡大している。そしてEC化率は、BtoCで5.79%、BtoBで29.6%と増加傾向が顕著である。

今後、電子商取引が消費行動の中でそのウエイトを高めることは確実であるが、我が国の場合他の先進国に比べ、その取引の「安全」、「安定」、「便宜性」、「利用者のリテラシー」といった視点の環境整備が立ち遅れていないだろうか。

どうする日本！

（日本維新）

1. 消費需要を喚起するには、マクロ経済手法のみでなく、ミクロ経済手法に知恵を出す

第２章第１節（経済政策）で述べた如く、飽和した需要を喚起するためには、「消費者の行動心理に根ざしたキメ細かな手法」が必要である。

価格破壊による“安売り”、消費心理を刺激する情報提供、そして本命は「新商品の開発」である。

まさにビジネスマンの知恵の出しどころだ。

また、消費者庁、生協、消費者協会、主婦連等消費者団体は官民ともに存在するが、その活動視点は“消費者保護”だった。これからは、「消費需要喚起」の視点での役割も果たすべきではないか。

2. 国民の“将来不安”を最小限にし、貯蓄より消費行動を促進する

前述したように、戦後の三大貯蓄目的は「住宅、教育、老後」であった。

今や、住宅はマクロでは量的に飽和状態（空家比率14％）、高等教育レベルも先進国の中で引けを取らない。国民の“将来不安”は老後である。後述する高齢化対策、社会保障の充実によって、可処分所得を消費に向かわせることができる。

ダイナミックな社会、それは過剰な将来不安を排除し、現状を保守するのでなく、積極的に活動する個人の意思と行動に帰する。

問題は、我が国にも醸成されている所得・資産の「格差社会」である。

富の偏在により、膨大な遊休資金は貯蓄に回り、その有効活用は十分でない。一方、可処分所得が増えれば、即、消費に還元される多数の人には「お金」が回ってこない。

後述するような“所得再配分効果”を持った強力な「格差社会」対策がこれからの重大な社会的命題である。

3. 今世紀の“ネット・グローバル社会”において、電子商取引の環境整備に集中的な先行投資を推進する

我が国は、欧米諸国、中国、韓国等に比し、“ネット・グローバル社会”への転換が、後述するようなIT産業の後進、ユーザーのリテラシーの遅れなどの理由で立ち遅れている。

電子商取引が、今後消費行動の相当部分を占めることを考えれば、そのための環境整備を「社会インフラ」と位置付け、公的資金も活用しつつ積極的に進めなければならない。

たとえば、所謂「ラスト10メートル課題」（最終消費者への配達接点）、ネット決済の安全性の担保、ユーザー（特に高齢者）のリテラシー向上（ネット操作のシンプル化）等などであろう。

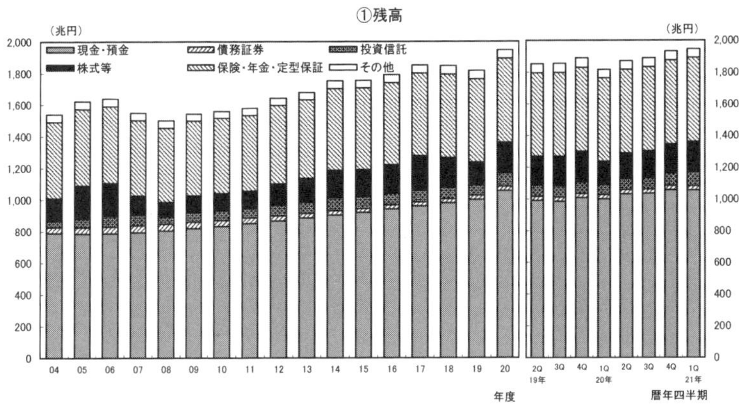

②前年比

			2019年			2020年				2021年	2021年3月末 残高（兆円）（構成比（%））
			6月末	9月末	12月末	3月末	6月末	9月末	12月末	3月末	
	残高（兆円）		1,852	1,855	1,889	1,816	1,871	1,890	1,933	1,946	
1	前年比（%）	金融資産計	▲ 0.8	▲ 1.3	2.8	▲ 1.7	1.0	1.9	2.3	7.1	1,946 (100.0)
2		現金・預金	1.9	1.7	2.3	2.1	4.1	5.0	4.9	5.5	1,056 (54.3)
3		債務証券	3.6	5.7	5.6	5.4	5.1	2.2	2.0	▲ 0.0	26 (1.4)
4		投資信託	▲ 3.5	▲ 4.4	11.3	▲11.2	▲ 1.5	2.5	5.9	33.9	84 (4.3)
5		株式等	▲16.6	▲17.7	7.3	▲22.4	▲11.9	▲ 9.2	▲ 5.0	32.1	195 (10.0)
6		保険・年金・定型保証	0.6	0.2	0.8	▲ 0.4	0.3	0.3	0.4	1.3	533 (27.4)
7		うち保険	1.0	0.6	0.9	▲ 0.1	0.1	0.1	0.2	1.1	377 (19.4)
8		その他	3.4	0.4	3.8	▲ 1.4	▲ 2.0	▲ 2.7	▲ 5.1	▲ 1.6	52 (2.7)

出典：日本銀行　資金循環統計（速報）（2021 年第 1 四半期）

図 42　家計の金融資産

住宅の総数（2018年）

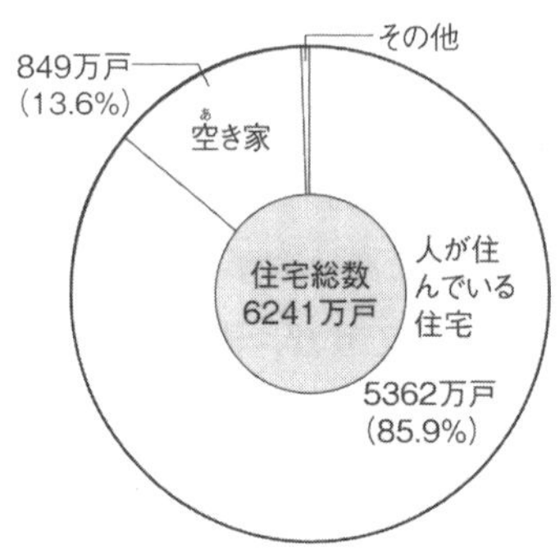

総務省しらべ。10月1日現在。5年に一度の調査。人が住んでいる住宅とは、ふだん日常的に住んでいるということで、別荘などは空き家となります。

住宅の変化

〔持家の割合〕

年	持家	借家など
1973	59.2%	40.8
2018	61.2%	38.8

〔一戸建の割合〕

年	一戸建	マンションなど
1973	64.8%	35.2
2018	53.6%	46.4

〔木造の割合〕

年	木造	鉄骨造など
1973	86.2%	13.8
2018	57.0%	43.0

0%　20　40　60　80　100

総務省しらべ。人が住んでいる住宅のみ。1973年は2873万戸。木造は防火木造をふくむ。

出典：公益財団法人 矢野恒太記念会 編集・発行『日本のすがた2019』p.191

図43　住宅の総数・住宅の変化

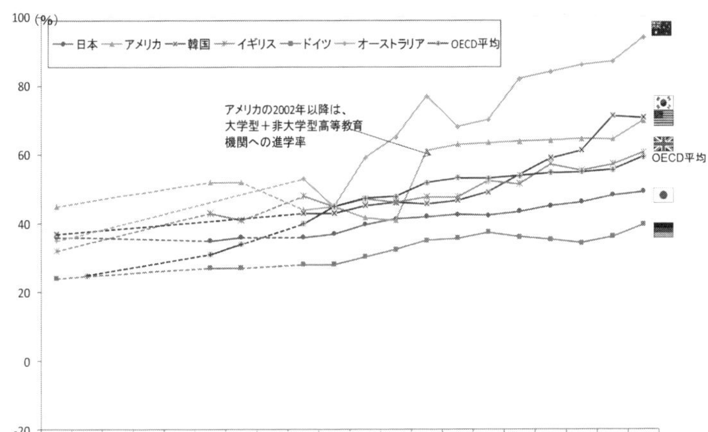

出典：文部科学省『大学進学率の国際比較』産業競争力会議下村大臣発表資料
「人材力強化のための教育戦略」

図44　大学進学率の国際比較

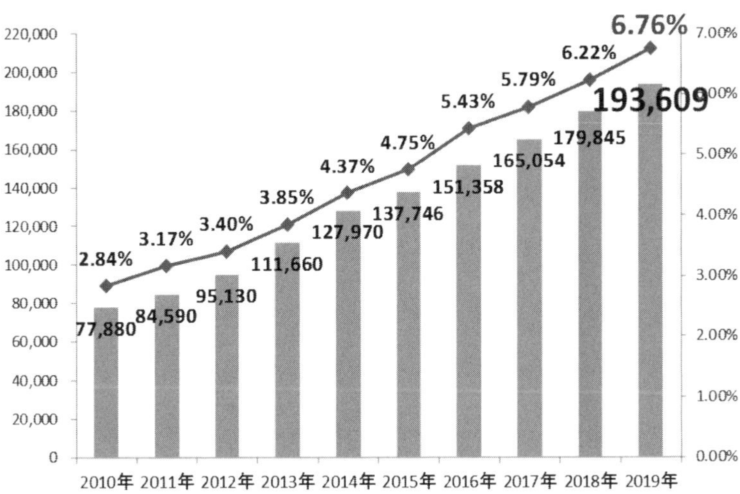

出典：経済産業省「電子商取引に関する市場調査の結果」2020年７月22日

図45　日本のBtoC-EC市場規模の推移

第７節　「規制産業分野に競争原理を導入し、高コスト構造を破壊する」

「水道の水が飲める」、「落し物が返ってくる」、「夜独り歩きができる」等は、外国人旅行者が驚き、感嘆する日本の“良さ”である。

しかし、雑誌「ECOWORLD MAGAZINE」が住宅、衣料品、交通機関、生活必需サービス、食料品、外食など日常生活に関する様々な分野を調査し（2020年）、さらに消費者物価指数等のデータを参考に計算したところ、最も生活費が高い国は、スイス、ノルウェー、アイスランド、そして日本であった。

「デフレ不況」が叫ばれている今日でさえ、我が国の生活コストは世界でも高い国である。

一例を挙げれば、電気代（日本25.4セント/KWH、米国12.1セント/KWH、フランス19.3セント/KWH、英国23.0セント/KWH、ドイツ38.8セント/KWH)、鉄道料金は欧州諸国の平均より割高、タクシー中長距離は先進国でもトップクラス、航空賃も事前予約のものは相対的に高い。

住宅は土地建物でトップクラス、そして農産物価格はそのほとんどで第１位の値段だ。

海外で生活を経験した人は同じような印象を持っておられるのではないだろうか。

これら高コストの要因は色々あろうが、共通して言えることは「規制産業分野」の製品、サービスである点だ。

さて、日本の農業は、戦後最も規制と保護を受けている分野ではなかろうか。そして与党・自民党の最も重要な票田となってきた。国民は必ずしも農業について十分な知識を持っていない。

今日の我が国の農業は、長い間の規制と政治的な保護の結果、産業と

しての競争原理は働かず、世界でも稀な業態となっている。結果、その問題点は、

・単位面積（1 ha）当たりの生産量が低い（世界ベスト 10 に入るのはイチジクと玉ねぎだけ）
・ほとんど輸出していない。そしてあらゆる輸入規制（鎖国状態）
・農業補助金は世界でもトップクラス
・進まない農地集積、2.98ha/ 農家１戸（米国 180ha、英国 90ha、ドイツ・フランス 61ha）

そして、“偽農家”（農地を持ち非農家と自給的農家）が、何と農家全体の 60%を占める。農地転売のチャンスを待っているのだ。

・前述したように農産物価格はそのほとんどが世界一高い

どうする日本！

（日本維新）

1. 参入規制などにより保護された規制産業分野には、既得権益勢力の抵抗を排し、制度の根幹を改革しなければならない。

・電力等公益事業分野 ―― 新エネルギー導入のためにも、電力の発電、送配電の企業体を完全に分離する

また、第１節（経済政策の維新）でも述べた如く、自然災害対策も念頭に置いて、社会インフラ整備として、電柱地中化、都市ガス普及など事業主体のみでなく、公的資金の活用も図る

・運輸分野 ―― 独占（寡占）企業形態であり、国民生活のミニマム・インフラであることを考えれば、需要サイド（利用者）の意見、要望が反映される仕組み（第三者委員会等）を設立する。今の国土交通省がその役割を十分果たしているとは思われない
・医療・介護分野 ―― 進展する高齢化社会、急増する需要に鑑みれば、供給サイドのこれに応じた量、質ともの拡充が必須。例えば、医師国家資格、介護士の要件などの緩和、多様化も必要だ

医療と介護の一体化されたビジネスモデルを考え、集約のメリッ

トを生み出す工夫も今後重要となろう

また、コロナ・パンデミックで明らかになった医療供給体制の非合理性を早急に正さなければならない

2. 戦後の政治的過保護による“後進農業”を国際的な“先進農業”に変革する。やる気になればできる。

今、農業は農業従事者の高齢化、農家の減退、耕作放棄、生産性の低さ等“後進性”を指摘されているが、これは人為的、政治的過保護によるところが大きい。

・「減反政策」、「補助金漬け」等の政策によって衰えた生産性（生産効率）の回復（例えば単位面積当たりの生産性を上げるための生産規模の拡大）

・農業を価格と品質で国際競争力を持つ「普通のビジネス」に変革する。（農地法の改正、耕作放棄地への課税等）

・従来の“職人気質的”栽培法から近代的栽培法への転換（例えば、イスラエルのドリップ灌漑、IOT クラウド農法、AI 農業等）

以上のような抜本的な農業改革を行えば、国際競争力を持った“強い日本農業”となる。

「一産業で一省庁」（農林水産省）、そして第１章第２節（公平な一人一票）で述べた不公平な選挙制度による農業地域への過大（２〜３倍）な一票の過剰評価は、農業改革にとって、大きな障壁である。

3. エネルギー政策のなかでの“原発”の位置づけをどう考えるか

2050 年の温暖化対策の長期目標を掲げた「パリ協定」に向けて世界も日本も動き出した。エネルギー政策は我が国にとって極めて重要であるが、ポイントは“原発”の存廃と新エネルギーの開発、普及の実現速度である。

・“原発”は、安全運転の確保は可能である。また、「最終廃棄物」処理は、数多くある無人島を何故活用しないのだろうか（第２節で述べた「土

地所有権」の問題か）

・新エネルギーの実現速度は、とりわけ前述した電力供給体制の改革に掛かっている

表 17　世界で最も生活コストが高い国 2020

1位	スイス
2位	ノルウェー
3位	アイスランド
4位	日本
5位	デンマーク
6位	バハマ
7位	ルクセンブルク
8位	イスラエル
9位	シンガポール
10位	韓国
11位	香港
12位	バルバドス
13位	アイルランド
14位	フランス
15位	オランダ
16位	オーストラリア
17位	ニュージーランド
18位	ベルギー
19位	セーシェル共和国
20位	アメリカ

出典：CEOWORLD Magazine

表 18　１戸当たりの床面積・住宅価格・資料

国名	一戸当たり平均床面積（m^2）
アメリカ	162
ルクセンブルク	126
スロベニア	114
デンマーク	109
日本	92.43
オーストラリア	92
ドイツ	90
フランス	90
イギリス	87
ポルトガル	83
フィンランド	76
ハンガリー	74
ポーランド	69
ブルガリア	63
エストニア	60
ルーマニア	45

出典：総務省統計局世界の統計 2006

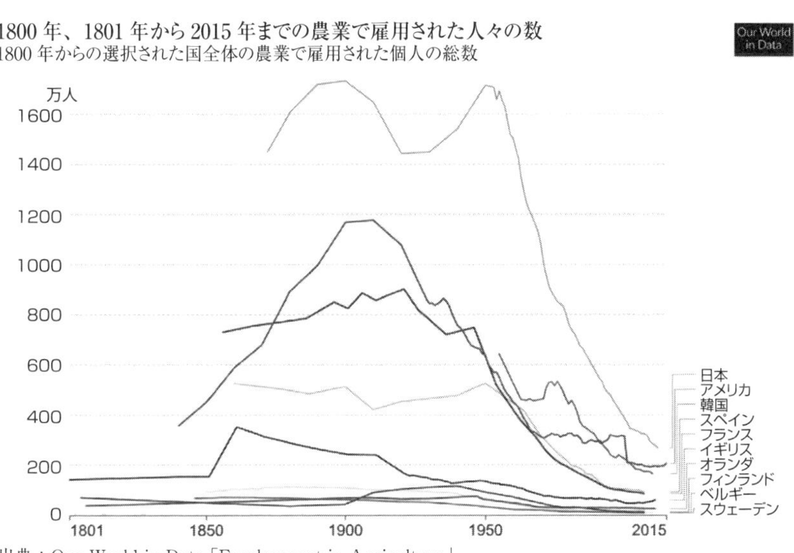

出典：Our World in Data「Employment in Agriculture」

図 46　1800 年からの農業従事者の推移

表 19　世界の平均耕作地面積の比較

（参考）諸外国との比較

	日本（平成21年）	米国（19年）	EU(27)（19年）	ドイツ	フランス	イギリス	豪州（19年）
農家一戸当たりの農地面積（ha）	1.9	198.1	13.5	45.7	55.8	58.8	3023.7

*1 経営耕地面積が30a以上又は農産物販売金額が年間50万円以上の農家
*2 農業所得が主（農家所得の50%以上が農業所得）で、1年間に60日以上自営農業に従事している65歳未満の世帯員がいる農家

出典: 農林水産省「耕地及び作付面積統計」、「農林業センサス」、「農業構造動態調査」、USDA"2008 Agricultural Statistics"、EU"Agriculture in the European Union Statistical and Economic Information 2008"、豪州"Australian Commodity Statistics 2009"

出典：農林水産省　農林水産業の現状について（平成 22 年 12 月）

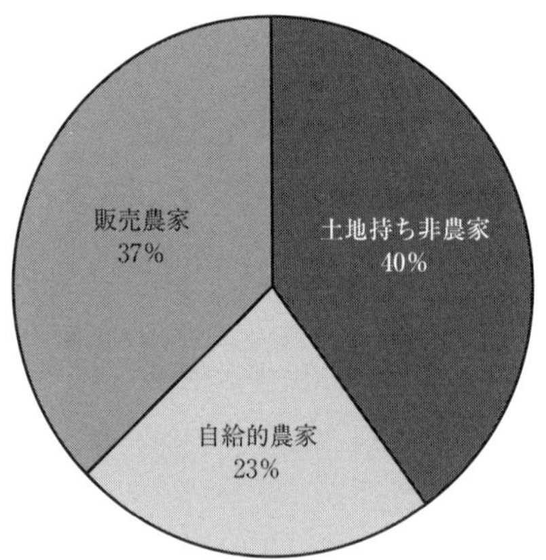

出典：『日本を救う未来の農業』竹下 正哲著 p.73

図 47　農地を所有している人の構成

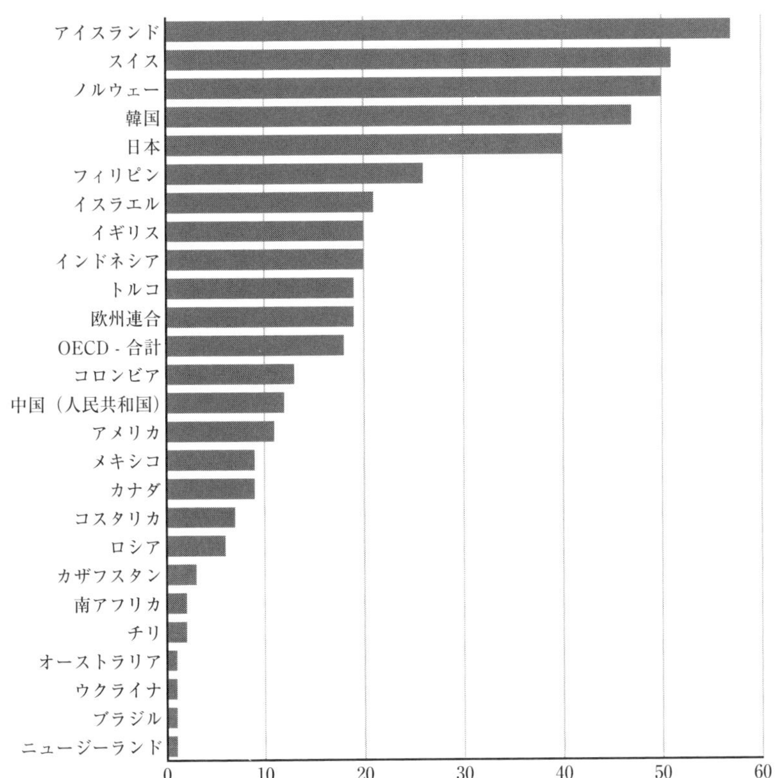

出典：OECD Agricultural support

図48　農業支援（PSE）の割合2020年（単位%）

表 20　世界における日本農作物の価格ランキング

作物名	世界の価格ランキング	作物名	世界の価格ランキング
リンゴ	1	メロン	1
コメ	1	モモ	2
大豆	1	ナシ	1
ホウレンソウ	1	豆類	1
イチゴ	1	柿	1
アスパラガス	2	スモモ	1
大麦	1	キュウリ	2
豆類	1	砂糖大根	1
ソバ	1	サツマイモ	2
サクランボ	1	ミカン	1
栗	1	里芋	2
ナス	1	トマト	6
ニンニク	1	スイカ	2
ショウガ	1	ピーマン	5
ブドウ	1	トウモロコシ	4
ピーナッツ	1	パイナップル	5
キウィ	1	ジャガイモ	3
マンゴー	1	カボチャ	4
茶	1		

※ランキングが上位ほど高値

出典：『日本を救う未来の農業』竹下正哲　ちくま新書　2020 年 5 月　p.83

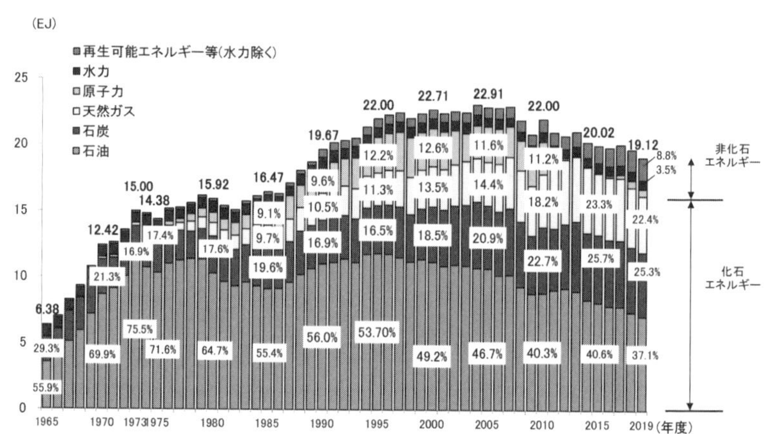

(注1)「総合エネルギー統計」は、1990年度以降、数値について算出方法が変更されている。
(注2)「再生可能エネルギー等(水力除く)」とは、太陽光、風力、バイオマス、地熱などのこと(以下同様)。

出典：令和 2 年度エネルギーに関する年次報告（エネルギー白書 2021）p.86

図 49　一次エネルギー国内供給の推移

第８節 「官民協調し、集中した技術開発等を推進し、IT産業等後進した産業競争力を回復し、将来産業を育成する」

戦後、我が国の産業（とくに二次産業）は驚異的な発展をし、半世紀も経たないうちに日本を世界の第二の経済大国に伸し上げる大きな要因となった。

重化学工業化（重厚長大）、知識集約産業化（軽薄短小、省エネ型）等など“産業ビジョン”を次々に掲げ、官民協調して技術開発と生産の合理化に日夜努力した結果と言えよう。

また、企業の労使協調の経営努力、銀行などの資金援助とコンサルティング、そして通産省（“ノトリアス MITI”とまで言われた）を中心とした経済官庁の産業政策、これらのベストミックスが日本産業発展の基盤であった。

無論、日米安保の存在もあり、自主防衛のための“防衛費”に多くの国費を費やす必要が少なかったことも背景にあろう。

そして、“バブル”経済を経験し、平成デフレ停滞時代へと時代は進んでいった。

著者がワシントンに赴任したのは 1992 年春であった。赴任早々「日本の産業政策」についてのスピーチを頼まれた。多くの質問は「日本の産業政策のどこが良かったのか」だった。そして翌年さらに翌年、質問の内容に変化が出てきた。「本当に日本の製造業が強いと思いますか」とよく訊かれるようになった。丁度、米国経済が浮揚してきた時期である。今日の米国の経済再生は ICT（情報産業）とウォール街の金融である。すなわち、今や世界を席巻する GAFA そして金融資本主義（マネタリズム）にある。

2000 年から数年、ある情報関連企業に勤めたとき、数度にわたって米国（カリフォルニア、テキサス、東海岸）、中国（上海、杭州）の IT

企業を訪問した。そして、その“ベンチャー・バイタリティ”のみならず、米国では、中国系、インド系の技術者が多いこと、中国では“米国帰り”のベンチャー・アントレプレナーが活躍していることに驚いた。

国籍、民族等を問わず、技術オリエンテッドな世界が、今日の“二大IT大国”を実現させたと言えよう。

翻って、我が日本は情報産業全般に後進してしまった。とりわけソフト面においては、一部のゲームソフトを除いて完全に後れを取った。

旧防衛庁に勤務したことがあった。その時、米国海軍の原潜の技術将校と知り合いになった。彼は、民間企業と国防省を行ったり来たりしていた。名実ともに官民協調して技術開発を行っているのである。米国には単独の技術開発担当官庁はないが、国防省を始めエネルギー省、運輸省等そして国立研究所（アルゴンヌ、オークリッジ、ロス・アラモス、ローレンス・リバモア等）等で年間数十兆円の技術開発予算を計上して、民間企業と共同で、「失敗してもよい」研究開発を日々行っている。中国は言を俟たない。

翻って、我が日本は、国の研究機関は？（お寒い思いだ）。そして、大学と民間企業は「失敗を恐れて」、金はあっても「経営責任を慮り」思い切った技術開発投資をしない。

どうする日本！

（日本維新）

1. 成功体験を生かし、官民協調して「産業ビジョン」を作成し、新たな“産業政策”を投入する

日本人の長所の１つは（短所でもあるが）、１つの目標に皆でエネルギーを集中できることである。多くの人が参加の意識を持ち、将来「産業ビジョン」を考え、まとめ上げることである。そして、その実現のために官民協調して人・物・金の資源を集中投入する。

新しい“産業政策”を作るのである。やればできる。マスメディア

も世論形成に積極的に参加しなければならない。

我が国は、残念ながら米国のように「ITと金融」で産業再生は困難である。“IT”は所詮英語文化の寵児、金融は現在の「ドル基軸」の世界で日本の“円”が乗り出す余地はない。

グローバル化した世界の産業動向を見れば、今後の我が国の国際競争力を持った産業は前節（規制産業分野）でも述べた如く一次産業（農業など）さらに三次産業（観光業、アニメ等娯楽産業系など）分野かも知れない。

2. 真の“IT社会”とするため、個人も組織（役所、企業等）もその意志を持ち行動する（関連企業はそのためのハードとソフトを開発普及する）

まず、個人ベースでは高齢者等のITリテラシー向上のインフラを整備する（地道に「町のコンピューター教室」、そして操作簡単なソフト開発等）。このためには財政支援も惜しまない。

そして企業、米国企業は「製品やサービス開発強化」「ビジネスモデル変革」にIT投資を行う。一方日本は「業務効率化、コスト削減」に主眼が置かれている。また、企業内のIT部門は「守りのIT」が担当業務との認識がある。IT技術を企業経営の根幹に置く発想をしないといけない。

情報関連企業は、「相手の無知を利用して儲けることばかり」考えずに、「いかに社会全体のIT化」を推進するかの使命を認識しなければならない。

3. 産官学共同で技術開発できるプラットフォームをあらゆる分野で創設し、技術者と資金を集中的に投入する

戦後、我が国は「戦争放棄」の下、民生用技術に集中して技術開発を推進してきた。そして、研究の場は企業と大学。その連携はほとんどなかった。国は、主として研究補助金を出すのみだ。研究テーマも

統一性が少ない。言わば、研究開発の効率性、集中性は少なかったと言わざるを得ない。

今や、米国、中国に限らず世界の先進国は産官学 ―― 国を挙げて「先端技術、未来技術」に戦略的に人・物・金を投入し、国際競争に勝とうとしている。

我が国も、あらゆる研究開発の場（場合によっては研究組合制度の活用等）を活用し、無駄のない研究開発を推進し、世界に伍していかなければならない（分散研究より集中研究である）。

そして、戦略的「研究開発テーマ」は産学官共同で議論し、最後は国が決める（換言すれば、国民が責任を取る）。

ところで、「テーマ」は、当然のことながら研究者の独善的なものであってはならない。

その意味では、宇宙開発にどれだけの資金を投入すべきか（もっと地震等自然災害研究にヒトとカネを投ずべきとの見解もある）。

人類に“夢”は必要だ。しかし、莫大な人材と資金を投入し、遥かかなたの星から「石」を持って帰って、どの程度の意味があるのだろうか（未だ、その意味合いを聞いていない）。

「テーマ」選択には、やはり「コスト・ベネフィット」を参酌するため、第三者レビューも必要だろう。

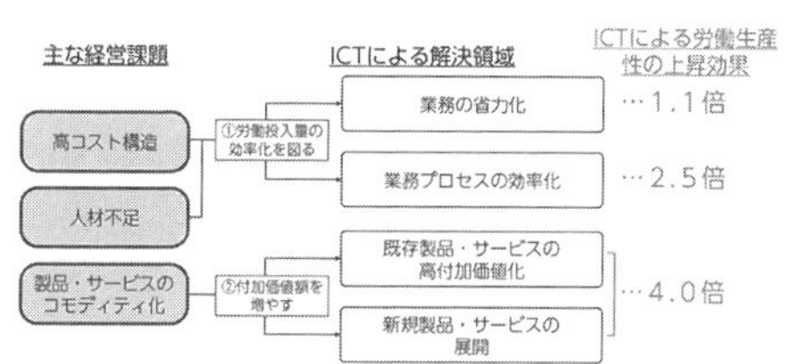

出典：平成 30 年版　情報通信白書

図 50　ICT による生産性向上の効果

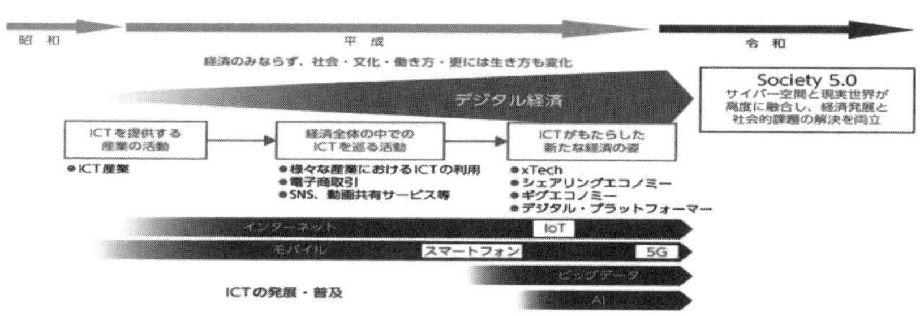

出典：令和元年版　情報通信白書

図 51　進化するデジタル経済とその先にある Society 5.0

攻めのIT投資が進まない原因①企業の意識（経営層）

経済産業省

◆ 米国は「製品やサービス開発強化」「ビジネスモデル変革」が上位である一方、日本は「ITによる業務効率化／コスト削減」に主眼が置かれている状況。

◆ IT関連技術の動向に対する理解も、米国と比較すると大きく劣後。

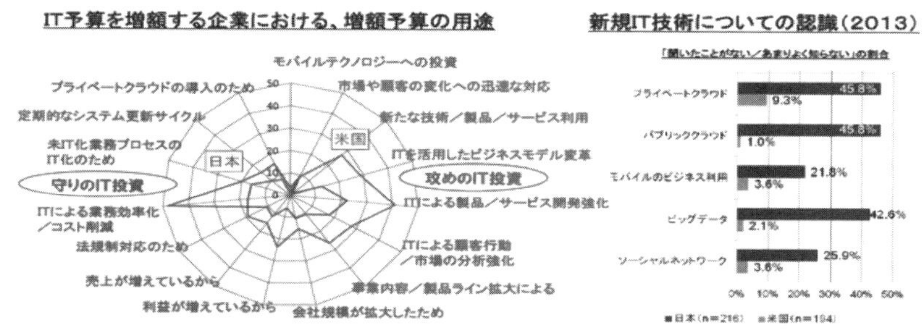

出典：経済産業省講演資料

図 52 「攻めの IT 投資が進まない原因」

主要国の研究開発費と自然科学系の注目度の高い論文数

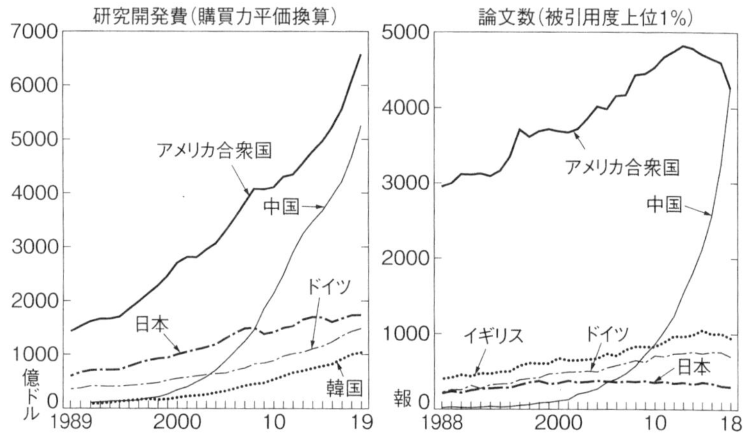

左図の研究開発費はOECD STAT（2021年４月９日閲覧）により作成。右図の論文数は、文部科学省 科学技術・学術政策研究所「科学技術指標」(2020年）により作成。22分野ごとに2019年末現在で被引用度の高い上位１％の論文を集計。国別集計で国際共著論文（欧米や日本で増加）は共著者の研究機関数で按分。論文数の拡大は、研究活動の量的拡大に加えて、分析されたジャーナルの増加も影響している。

研究費と研究者数（会計年度）（単位　億円）

	1980	1990	2000	2010	2018	2019
研究費総額……	52 462	130 783	162 893	171 100	195 260	195 757
企業…………	31 423	92 672	108 602	120 100	142 316	142 121
非営利・公的機関	7 639	15 142	22 207	16 659	16 160	16 435
大学等………	13 401	22 970	32 084	34 340	36 784	37 202
研究費対GDP比(%)	*2.11*	*2.90*	*3.03*	*3.39*	*3.51*	*3.50*
研究者数(千人)[1]	394.3	603.5	750.7	842.9	874.8	881.0

総務省「科学技術研究調査報告」(2020年）により作成。人文科学を含む。1996年度よりソフトウェア業を、2001年度より卸売業、金融・保険業等を含む。1）会計年度末現在。2000年度以前は文部科学省「科学技術要覧」による翌年４月１日現在の数値。

出典：『日本国勢図会 2018-19』p.420

図 53　主要国の研究費（購買力平価換算）と研究費と研究者数

第３章
社会の維新

第１節　「世界のモデルとなるような高齢化社会を目指す」「少子化対策は“家族対策”であり、その源泉は国民の“幸福感”に起因する」

我が国の人口は、１億2588万人（2020年）である。

現在（2018年）の合計特殊出生率は1.42人であり、2016年の出生数は100万人を切った（ちなみに、合計特殊出生率は、韓国1.3人、タイ1.4人、ドイツ1.4人など）。

このままでいけば、人口は40年後に9000万人を下回り、100年後に5000万人を下回る。

その国の人口適正規模の議論は、第１編第２章（国家ビジョン）でも述べた如く“解”はない。

2024年３人に１人は65歳以上となる。2040年（20年後）65歳以上の５人に１人が“１人暮らし”になると見込まれている。

2035年高齢世帯が40％となり、2042年高齢者人口は4000万人の頂点に達する（ちなみに、高齢化比率は、日本27.47、イタリア23.31、ポルトガル21.89など）。

2026年頃には、認知症患者が700万人に達する。などなど、我が国は、世界に先行して急速に「高齢者社会」となっている。

一方、社会の少子化は、戦後２回の“ベビーブーム時代”の後、国民の「家族価値」の急速な変化、女性の社会進出、育児・教育の経済的負担増など複合的要因により、その趨勢は止まらない。

このことは、国民の“人生観”、“幸福感”といった基本的価値観に依存しており、問題は複雑で根が深い。

どうする日本！

（日本維新）

1. 一口に「高齢化社会」と言っても、“健康老人”と“要介護老人”に分かれる —— 社会の相当数を占める重要構成員として、きめ細かい政策、制度が必要だ

人生の大半を過ごし、それぞれに社会に貢献した人達。残る人生をそれぞれの最大の“福感”を持って、重要な“社会の構成員”として過ごしてもらいたい。そのためには、

— 健康老人 —

・70歳定年を原則とし、併せて65～75歳の本人選択定年制を併用する

・企業は、65歳以上の従業員に「給与半減、経験を生かせる働き場所」を創設するよう努める（過去の上司が過去の部下に従うのは難しい）

・定年後の高齢者は地域社会との結びつきが大切、地域社会（自治会、町会、NPO等）活動（防災、福祉、介護等）を行う人には一定の身分（たとえば準公務員）と一定の報酬を保障するシステムを構築する

・年金支給開始年齢は、平均寿命の10年前の年齢とする。年金生活は10年あれば十分である（元々、年金制度発足の当初からこの思想である）。人は、「社会との連携があってこそ」自己の“幸福感”を感じるものである。

・年金支給額は、生活保障制度、ベーシックインカム構想などを参考にしつつ、国民全体で合意形成する（現在は、一応現役平均所得の半分を目途としている）

— 要介護老人 —

・自宅介護の急増に対応し、家族介護者に、例えば「半日勤務正規雇用」制を取り入れ、介護離職を極力避ける

・税制等で「三世帯住宅」の整備促進を図り、要介護問題、家族問題の解決に資する。また、これから“空き家”（2033年の空き家率30％と言われている）急増に鑑み、これを介護インフラ整備に活用する
・介護職員の大幅な拡充（2025年で230万人）と、思い切った待遇改善（給与倍増）を実施する（介護保険のみならず、補助的財政支援を投入する）
・医師の資格制度をもっと実用的なものとし（臨床医に不必要な純学問的なものは最小限とする）、必要な医師数を確保するとともに、その分業化を促進する。例えば、「予防医療」、「介護医療」のための専門医などを設ける

2.「少子化対策」は、「お金」で解決できる問題ではない ―― 人生観の問題。家族形成の認識と、「子孫を残す」幸福感の醸成が根本である

いわゆるスウェーデンのスピード・プレミアム制度をはじめとして、２年以内に次の子を出産すると８割の所得保障（フランス）、480日の父親専用育児休暇（スウェーデン）など、そして我が国も所得税扶養控除、児童手当、産時・育児休暇等など、「お金と時間」の対処療法は、その質と量の問題を別にすれば、多くの政策メニューはある。しかし、少子化は止まらない。

「今だけ、金だけ、自分だけ」の人生観が蔓延していないだろうか。なぜ子供を作らないのか、いや、その前に何故結婚しないのか。最後は”孤独死“になることをもっと若い世代に認識させることも必要だ。

しかし、無理して人口の減少を止める必要があるだろうか。第１編（国家ビジョン）でも述べた如く、我が国に適する人口で良い。規模よりも一人一人の「最大多数の最大幸福」が最終目的である。

○日本の総人口は、2004年をピークに、今後100年間で100年前（明治時代後半）の水準に戻っていく。この変化は千年単位でみても類を見ない、極めて急激な減少。

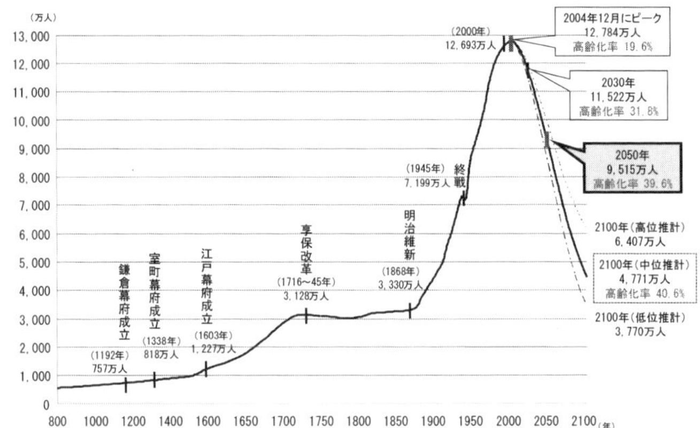

出典：国土交通省

図 54　我が国の人口は長期的には急減する局面に

○65歳以上の高齢人口を5歳階級毎にみると、年齢が上がるほど、増加率が高まる傾向。80歳以上の年齢階級についてみると2050年まで一貫して65歳以上の高齢人口の増加率よりも大きくなっている。

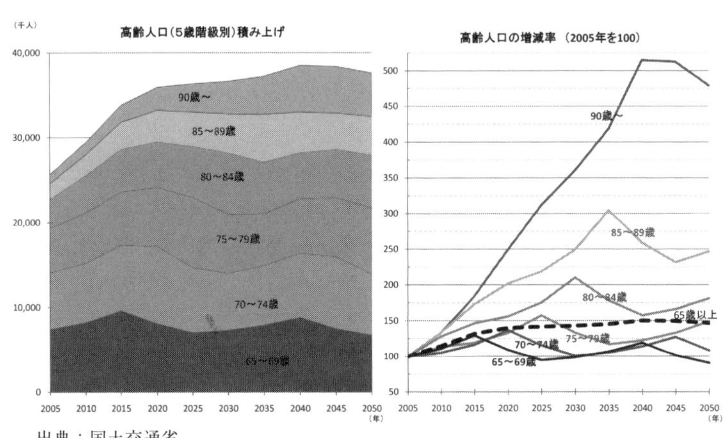

出典：国土交通省

図 55　高齢者の中でも年齢階層により増加率が異なる

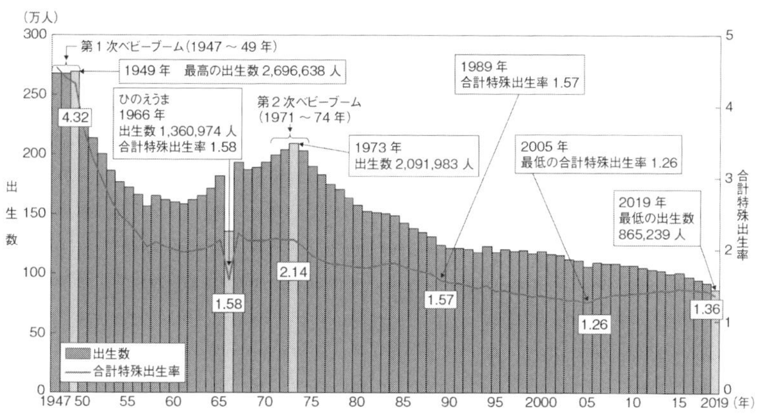

出典：内閣府　令和３年版　少子化社会対策白書　p.5

図 56　出生数及び合計特殊出生率の年次推移

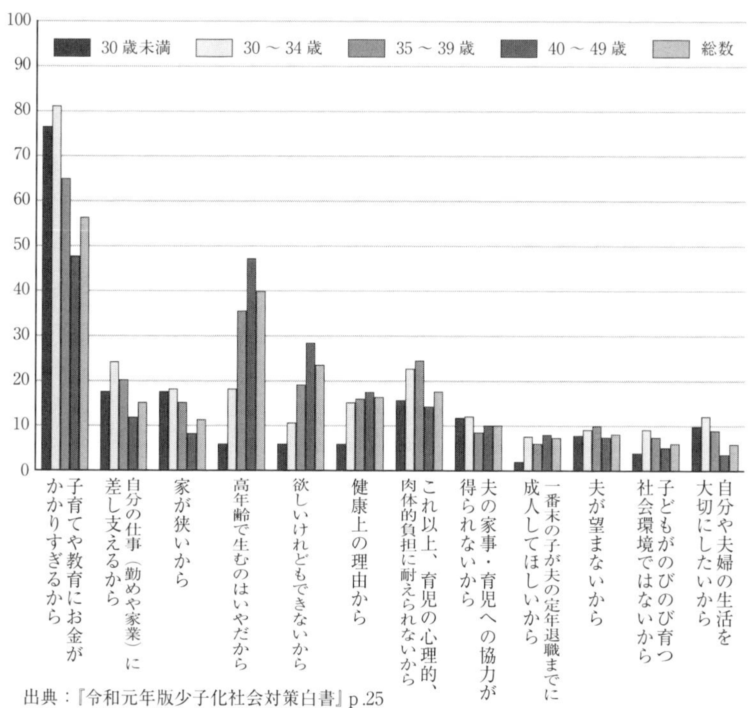

出典：『令和元年版少子化社会対策白書』p.25

図 57　妻の年齢別にみた、理想の子供数を持たない理由

第2節 「深く静かに醸成される格差社会、あらゆる方法でこれを除去し、流動性のある社会、そして最大多数が“夢”の持てる社会を確保する」

この国に、静かに且つ確実に「格差社会」が醸成してきている。

我が国は、世界のなかでも比較的“差別、格差”の少ない国であった。しかし、今日の社会情勢を見ると、単に所得、資産の経済的格差のみならず、教育、職業などの政治社会面の格差も形成され始めている。

戦後、国民皆で高度経済成長を実現し、ほとんどの国民が「中流意識」で普通の人並みであったのに、そして、それぞれが向上心を持っていたのに、いつの間にこうした社会構造になったのか。

敗戦、軍閥の消滅、財閥の解体、そして個人の自由と平等を保障する新憲法の下で、当時は7000万有余の人口であったが、総国民の努力と協力で、あの廃墟から僅か半世紀足らずで世界の経済大国に成長した日本は、言わば「最大多数の最大幸福」を実現したと言えよう。

これが、国民の大半が「中流意識」を持った所以であろう。

しかし、1980年代後半頃から我が国は“バブル経済”を経験するとともに、主として資産格差を中心とした「格差社会」が形成され始めた。

最初は、地価バブル、金融バブルで「土地所有者」「金融資産家」と「持たざる者」の経済的格差が広がった（いわゆる“土地成金”等である）。

そして、90年代の就職難時代、フリーター、ワーキングプアー、ニートなどの低所得層を生み出した。

2000年代に入り、IT企業を中心とした企業収益の増加と労働者賃金の増加とのアンバランスが生じた（1997～2007年の企業収益は28兆円から53兆円に増えたのに対し、給与は147兆円から125兆円に減少した）。

我が国の実質賃金の上昇水準は、他の先進諸国に比べ相当低いものとなっている。

そして、派遣雇用制度を中心とした非正規雇用の定着により、ますます「格差社会」は固定化しつつある。

結果、今や経済面の格差は、年収300万円以下の所得層が全体の60%を占め、５人に２人は非正規職員、そして「生涯所得」は正規職員２億円、非正規職員１億円、パート職員5000万円と言われている。

資産格差は論を俟たない。所得上位10%が総資産の50%を有する。

いわゆる“ジニ係数”も1999年0.472であったものが2017年0.5594となっている。

世界に目を転じても、先進諸国、特に1980年代から米英で所得・資産格差は大きく拡大した。

世界の最富裕層10%が全世界の40%の所得を獲得したが、それは最貧層10%の9.6倍の所得を意味する。

富裕上位26人が下位38億人分の“富”を保有する。もしこの富裕層が0.5%でも多くの税金を払えば、世界の貧困問題は概ね解消すると言われる。

これらは、富裕層の投資利益の膨大化、賃金の低成長、中間所得層の収入逓減等共通した要因はあろうが、何といっても「競争原理、新自由主義」的方針に任せた無為無策の結果とも言える。

このことが、今世界を席巻している「ポピュリズムの蔓延」、「自己中心主義」、「テロリズムの横行」の根源である。

さて、経済面の格差は当然政治社会面の格差を生み出す。

経済格差が、その人その子孫に教育、人とのつながりと言った社会進出基盤の格差を醸成し、人生における「機会の格差」、「階層の固定化」を形成する。

また、格差が固定化すると、社会の雰囲気に言うに言われぬ“閉塞感”が出てくる。人々は日々の生活にのみ関心を持ち、人生の「将来への夢」

を持たなくなる。

言わば不活性な社会、非流動的な社会（既得権社会、“閥”社会、世襲社会等）となる。とても「最大多数の最大幸福」など夢のまた夢だ。

この状態を放置すれば、近未来、社会の分裂と対立ひいては戦争を招く(前述したように世界のかなりの部分でその懸念が顕在化している)。

どうする日本！　いや、どうする世界！

(日本維新)

1. 社会のあらゆる面で流動性を維持し、国民の最大多数が将来の“夢”を持てる、活性化した社会を確保する

まずは、教育。親の所得、資産によって子供が十分な教育を受けられないとなれば、これぞまさに「機会の格差」である。

義務教育完全無償化、奨学金制度の拡充等政策メニューはあるが、やはり「公立学校」の充実が本道であろう。私立学校はどうしても“カネ”に走る。

どこでも、いつでも“仲間意識”はできるものだ。

共通の利害を有し、互助の精神が生まれるからである。人は生まれてから死ぬまで何らかの仲間組織に属しながら人生を過ごしていく。同郷の組織（県人会)、同学の組織（同期会、同窓会)、同職の組織（同期会、社員会）など、これが学閥（三田会、如水会等)、職閥（旧財閥系企業閥)、閨閥（自民党２世、３世議員等）を形成する。

しかし、こうした“仲間意識”が排他的となったり、不合理な人間関係を形成したり、世襲制を維持したりすれば、大きな社会不活性要因となる。最大多数が“夢”を持ち得なくなる。

然るべき「人」の判断は、仲間意識を越えなければならない。

格差社会が固定化すると、いわゆる「階層の固定化」が生まれる。

まず政治の世界、第１編第１章第１節（誰が国を想うのか）で述べ

た如く、今や与党（自民党）の幹部の大部分、衆議院議員の３割強が“世襲議員”で、野党の一部幹部も然りだ。

また、医者の世界、「親子（婿も含め）医者」の何と多い事か。私立大学の医学部の授業料などは、一般の家庭の経済力で負担のできないほど高くなっていることも一因だ。

最近は、企業幹部にもその傾向が出てきている。

こうした「階層の固定化」が進めば、既得権益者たちの誤った“選民意識”を醸成し、自分たちの“仲間意識”から、他の者を排除する傾向が出る。

社会全体でこの傾向を監視し、「公平・公正な試験制度」等の活用により、社会の流動性を維持しなければ、国の「実力」が減退する。

2. 所得格差解消の基盤は、最低賃金値上げ、実質賃金上昇にあり、そして正規雇用と非正規雇用の賃金格差を合理的かつ最小限とする

我が国の最低賃金は、国際的に見て低い水準である。購買力ベースで見ても、オランダを 100 とすると日本は 65％程度である（2012 年）。最低賃金を上げれば、雇用が減る、企業が廃業する等の議論があるが、そんな証左は１つもない。

また、実質賃金の推移を見ても、1997 年をピークに好不況にかかわらず低下している。

日本人の賃金は、過去 30 数年間ほとんど上昇していない。他の先進諸国は 1.3 倍から 1.5 倍に増えている。このことは、従来の資本と労働の分配比率の構造が、経済のグローバル化などにより大きく破壊されたことの証左と言える。

第２章第４節（企業経営）で指摘した如く、大企業を中心に今や、500 兆円に及ぶ遊休資金“内部留保”が存在するというのに、である。

そして、「同一労働・同一賃金」を徹底する。換言すれば、「職務給制度」である。

各人がどういう仕事をしているか、どういう職務を行っているかを明確にした上で、同じような仕事をしている人に対しては、１時間当たりの賃金を同一にする。

こうして、正規雇用と非正規雇用の賃金格差を最小限にする。

何が「同一労働」か、裁判による判例の積み重ねだけでなく、国として業種ごとにきめ細かく基準を示す時期が到来している。

非正規雇用が、今や４割近くなっている今日、極めて重要な問題である。

3.「結果の格差」の蓄積による「富（所得と資産）の格差の固定化」を、あらゆる“再分配機能”を駆使して解消し、最大多数が“自助努力”により格差是正を実現出来得る、すなわち“夢”の持てる社会を再構築する。

具体的には、税制と社会保障制度、福祉政策等であり、これを以下のように組み合わせる。

— 税制 —

第２章第３節（行政コストと税制）で述べた如く、

・徹底した累進所得課税を実施する（税率を上げ、さらに年間10億円を超える所得には100％の課税 —— 富裕層がお金を消費することにもなる）
・資産課税を抜本的に拡充する（総資産10億円を超える部分に100％近い課税。一個人にそんな過剰な蓄財はいらない）
・なお、自ら積極的に“納税”する富裕者には「国民感謝賞」などの名誉賞を付与する

— 社会保障 —

・ 総資産10億円以上の資産家に「年金」等必要ない
・絶対的な経済社会弱者には、生活保護制度の他、前提条件なしの“ベーシックインカム”を保障する

なお、１つの試算がある。

資産の5000万円を超える部分に１％、さらに１億円を超える部分に追加で１％課税するとしたら税収は５兆円となる。現状の生活保護費総額は４兆円足らずであり、十分賄える。

「資産の格差」は資本主義の中心的矛盾である。

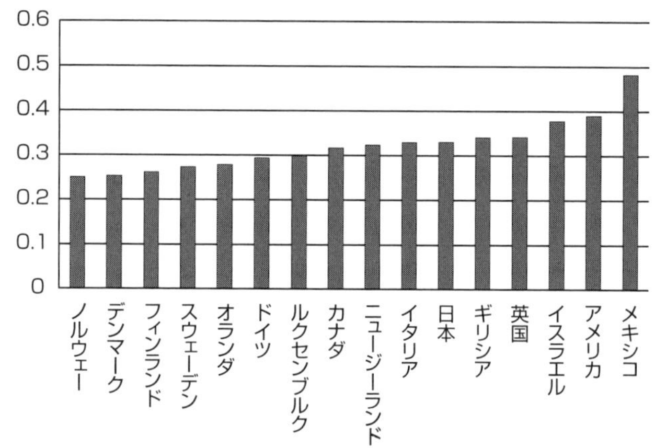

資料：OECD. Stat（2017年3月9日閲覧）より厚生労働省政策統括官付政策評価官室作成
（注）1.「ジニ係数」とは、所得の均等度を表す指標であり、0から1までの間で、数値が高いほど格差が大きいことを示している。
2. 等価可処分所得のジニ係数の推移を示している。

出典：厚生労働省 平成29年版　厚生労働白書　社会保障と経済成長

図58　OECD主要国のジニ係数の国際比較（2011年）

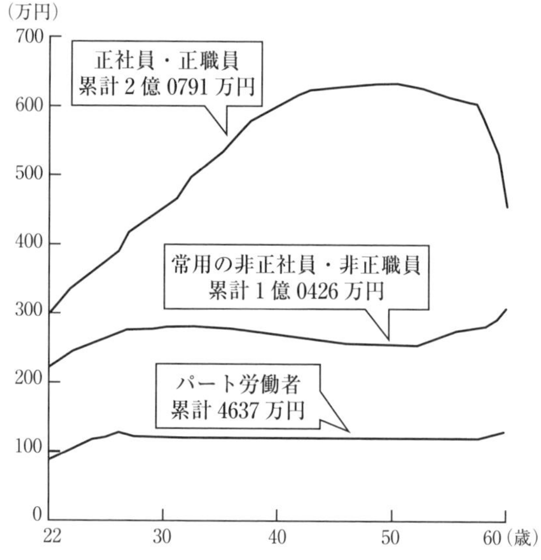

出典：岩波新書『格差社会』橘木俊詔　p.143

図59　　正社員・非正社員・パート労働者の生涯賃金比較

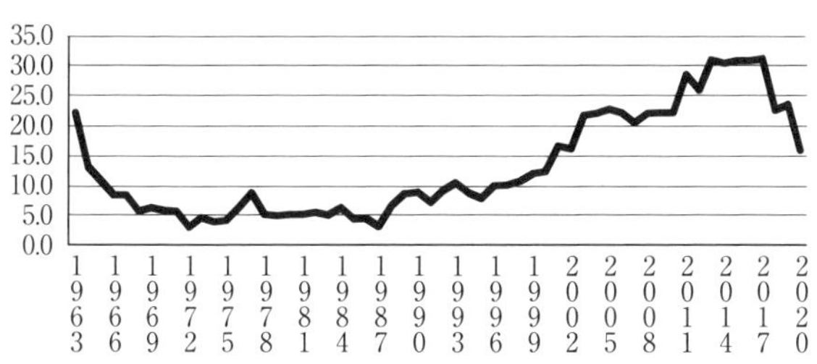

出典：金融広報中央委員会

図 60　金融資産非保有世帯比率

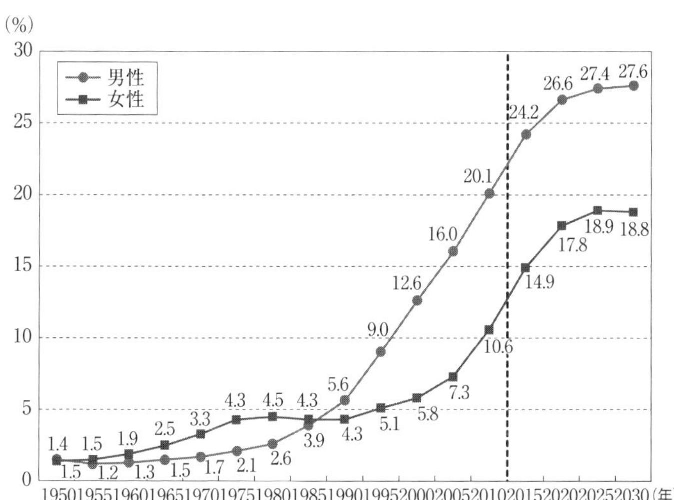

（注）　生涯未婚率とは、50 歳時点で一度も結婚をしたことのない人の割合であり、2010 年までは「人口統計資料集（2012 年版）」、2015 年以降は「日本の世帯の将来推計」より、45 ～ 49 歳の未婚率と 50 ～ 54 歳の未婚率の平均である。

出典：国土交通省ホームページ

図 61　生涯未婚率の推移

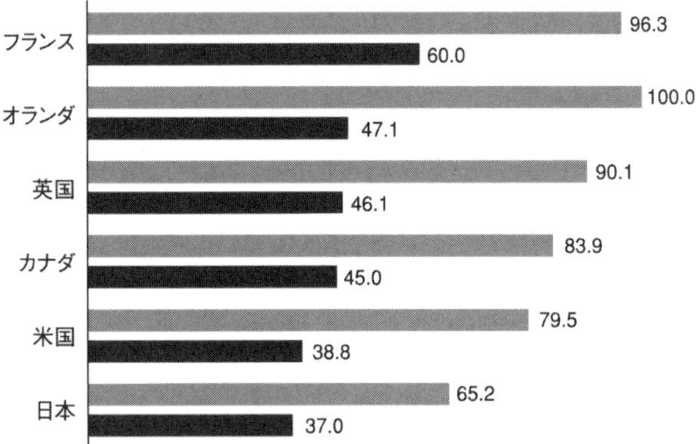

（出所）ILO（2012）*Global Wage Report 2012/13*：Low Pay Commission（2012）*National Minimum Wage Low Pay Commission Report 2012* より著者作成。

出典：「月刊全労連」2013 年 5 月　p.4　丸谷浩介 (佐賀大学教授) 著

図 62　最低賃金水準の国際比較

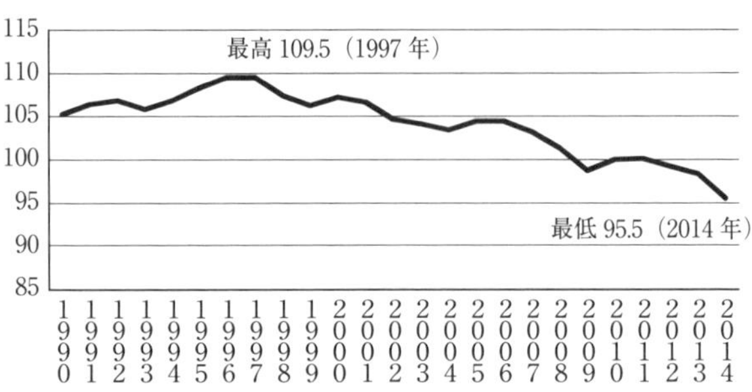

出典：厚生労働省　毎月勤労統計調査　全国調査 長期時系列表

図 63　日本の実質賃金 (5 人以上全産業) 指数 (2010 年平均＝ 100)

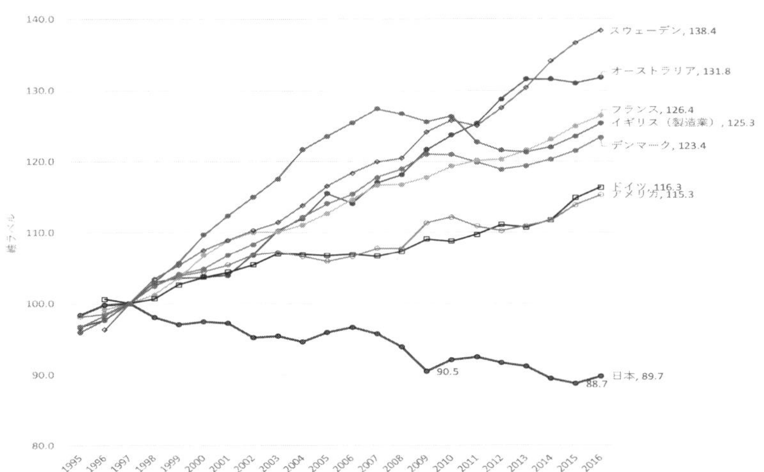

出典：oecd.stat より全労連が作成（日本のデータは毎月勤労統計調査によるもの）。
注：民間産業の時間当たり賃金（一時金・時間外手当含む）を消費者物価指数でデフレートした。
オーストラリアは 2013 年以降、第 2・四半期と第 4・四半期 のデータの単純平均値。
仏と独の 2016 年データは第 1 ～第 3・四半期の単純平均値。英は製造業のデータのみ。

出典：全労連ホームページ　資料 1

図 64　実質賃金指数の推移の国際比較（1997 年＝ 100）

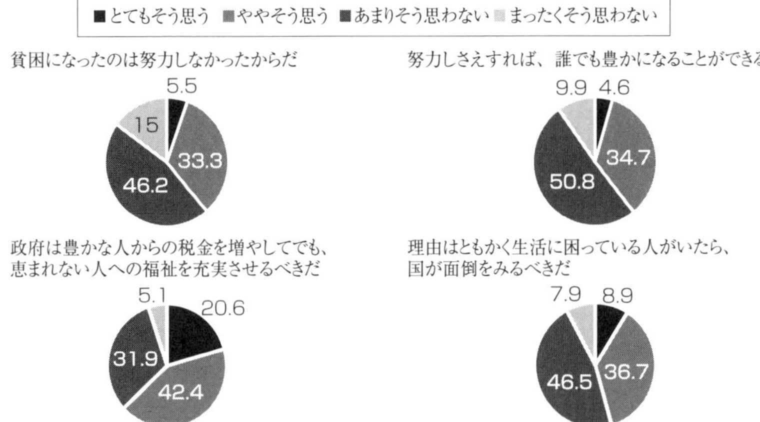

出典：『中流崩壊』橋本健二　朝日新書　p.229 ～ 230

図 65 「所得再分配を支持するか」「自己責任論を支持するか」

第３節　「まず、隣人を愛し、地域コミュニティの活性化を図り、多くの人が日常の“幸せ感“を持ちうる健全な市民社会を実現する」

第１編（国家ビジョン）で見たように、今日の「成熟社会」の最終目標が「最大多数の最大幸福」にあるとなれば、それは国民ひとり一人が「日常の幸せ」を日々の生活に感じ得ることであろう。

ワシントンやロンドン郊外の住宅地で、朝、散歩すると、行き交う人達は必ず“Hello, good morning”と挨拶を交わす。一方、東京郊外の住宅地、散歩して行き交う人達は知り合いでもなければ黙って行き過ぎるだけ（尤も、海外では安全確認の意味もあるが)。

日曜日、欧米諸国では、教会や寺院、公共施設に地域の人達が集まって、ミサやバザーの地域活動が盛んだ。我が国の場合、折に触れ「お祭り」等の地域イベントはあるが、日常的には、地域コミュニティの結びつきは、ごみ処理と回覧版が回る程度で、都会になればなるほど「隣の人は何する人」だ。

米国の地域活動が活発なのは、建国の経緯、キリスト教精神と活発な教会活動の要因もあるが、市民の確立されたボランティア活動も大きく寄与している。今や、18歳以上の米国人の55％は、１人１週間当たり４時間有余の時間をボランティア活動に使っている。その内容も多岐にわたり、教会活動、地域活動、学校・教育活動、社会福祉等である。

我が国の地域活動は、戦前と戦後では様相を異にする。戦前の「町内会」は、公権力との相互浸透的性格を持ち、特に1940年の「部落会町内会等整備要綱」によって、「隣組」の結成が義務づけられ、戦時統制下の様々な国民統制の末端を担うものとなった。この「要綱」は、戦後ポツダム政令で廃止されたが、戦前的系譜に絡んだ「町内会」の存在は否定論、消極論が強かった。高度経済成長後、地域生活環境問題の解決、都市住民の生活拠点作り等の必要により新たに「町内会」の見直し積極論が台頭したが、社会は既に「核家族」化、都市化が進展しており、本来的な地域コミュニティ形成は実現できなかった。

ギリシャ、ローマの時代から、西欧市民社会の原点は地域コミュニティにある。そして民主主義も然り ―― 地域コミュニティ活動への参加が、個人の社会参加、民主政治体験の起点となる。米国の「タウンミーティング」等もその例であろう。

また、日本的“縦社会”の人的関係から離れて、一市民としてお互いが平等に社会参加できる生活の場である。

欧米では、「人生は、３分の１が家庭、３分の１が職場、そして３分の１が地域」と言われる。

良き市民生活の３分の１が希薄な日本の現状は、戦後の“負の遺産”の１つであろう。

どうする日本！

（日本維新）

1. 地域コミュニティ活性化の社会的基盤を確立する

まずは、「町内会」等活動の単位を育成するため、公的援助を創設する。

活動には“場”が必要である。“場”があれば、人も集まり、活動もしやすい。

「会館」等の創設支援に加え、学校、公民館を積極的に開放する。

我が国には18万の宗教法人がある。そのうち９割が仏教・神道系である。国土に占める仏閣、神社の占める面積は相当なものである。この社会インフラと、教養も時間もある坊さんや、神主さんは、地域活動に積極的に参加すべきである。欧米では教会の牧師さんが社会参加していることは周知のとおりである。「宗教の自由」とは関係ない。

2. ボランティア活動を促進し、関連するNPO法人を育成する

阪神淡路大震災、東日本大震災などでは、一般ボランティアの人達が活躍した。いざという時は多くの人が貢献する。政府調査によれば、国民の4人に3人は、社会の一員として社会の役に立ちたいと思っている。しかし、この国民意識を十分に生かし切っていない。

我が国のボランティア活動参加率は、米国、英国に比べて半分にとどまっている。特に日常の地域活動においては極めて低い。学校教育においてボランティア活動を単位取得の要件とするなど、投入すべき方策は多い(ちなみに、スペインのようにSERVISIO　SOCIALと言って、一生の内、一定期間、社会奉仕を義務付けている国もある)。

1998年施行された「特定非営利活動促進法（NPO)」により、市民活動が画期的に促進された。2018年時点で約5万2000法人となっている。

保健・医療、社会福祉・教育、町づくり、文化・芸術、環境保全とその活動範囲も市民活動全般にわたる。

NPOの6割は、地域住民とのつながりを望んでいる。今後、このNPO活動と町内会などの住民組織の連携強化が、地域コミュニティ活動活性化にとって大きなカギとなるだろう。

3. 新しい“ヴァーチャル・コミュニティ”の出現で、21世紀の社会コミュニティの様相が一変し始めているが、これを正しい方向で発展させる

21世紀に入って、IT技術の目覚ましい発展により、ネットの地球的規模の普及が進み、今や一国のリーダーから犯罪者まで、誰でも、何処でも、何時でも情報の受発信をすることができる。世界的規模の“ヴァーチャル・コミュニティ”の形成が実現したのである。

この社会コミュニティ（SNS）が、我々人間社会の政治、経済、社会の将来にいかなるインパクトを与えるか、今はまだ予想しがたい。

リアルの地域コミュニティの他に、ヴァーチャルの世界で、利害を

共有する「ローカル・コミュニティ」が形成されつつある。個人への影響は、リアル・コミュニティ以上かもしれない。

ネット・プロバイダー等IT関連業者を始め、全ての関係者に「自由と責任」の下、一定の社会的規律を課する機関の創設が急がれる。

4. 地域コミュニティの活性化が、地方振興の基盤である

「個人の移動の自由」を保障する限り、地方から中央への集中は、

- 第1章第4節（地方制度）で述べた如く、国民合意による“国土計画”を策定
- 第2章第2節（土地所有権）で指摘した、公共的土地利用を実施し、地方の農地、遊休地の効率的活用
- さらには、「東京首都機能の分散」、「皇居の移転」など

思い切った手段を用いない限り、夢のまた夢だ。

時間はかかり、「ぬるま湯」のような感は免れないが、「人の心」が動く地域コミュニティ活性化が本道かもしれない。

表21　米国のボランティアを始めた要因

ボランティア活動を始めた要因	割合*(%)
年少時のボランティア経験	66
社会を変革したい、改善したいという意欲に駆られた	57
年少ボランティアグループへの早期加入	61
尊敬している人がボランティア活動に従事しているのを見て	54
家族がボランティア活動に従事しているのを見て	56
過去に他人から助けられた経験から	54
年少時に両親のボランティア活動を見て	62
学生自治会で活動した経験により	68

*ボランティア従事者全体に占める割合、重複回答あり

出典：財団法人自治体国際化協会「米国におけるボランティア活動」

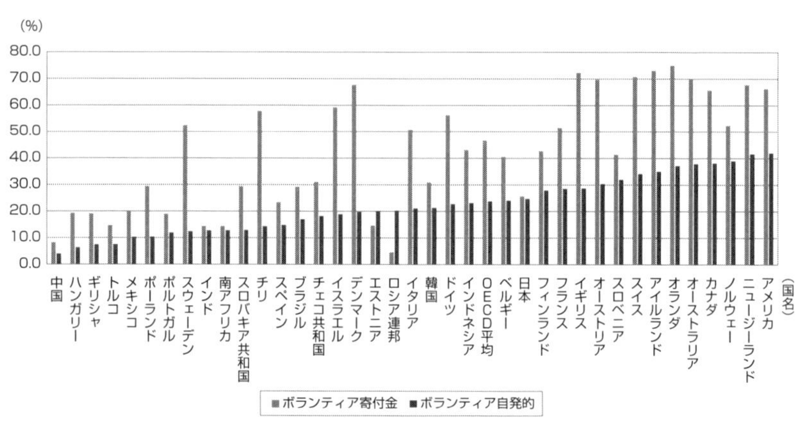

出典：OECD Factbook 2009

図66　ボランティアや社会的支援の国際比

表 22　活動分野別に見る NPO 法人数

特定非営利活動法人の活動分野について

（平成 30 年 3 月 31 日現在）

1．平成 30 年 3 月 31 日現在の法人数　51,871

2．法人の行う活動の分野（20 分野別、複数回答）

号数	活動の種類	法人数
第 1 号	保健、医療又は福祉の増進を図る活動	30,527
第 2 号	社会教育の推進を図る活動	25,174
第 3 号	まちづくりの推進を図る活動	23,110
第 4 号	観光の振興を図る活動	2,728
第 5 号	農山漁村又は中山間地域の振興を図る活動	2,321
第 6 号	学術、文化、芸術又はスポーツの振興を図る活動	18,635
第 7 号	環境の保全を図る活動	14,095
第 8 号	災害救援活動	4,266
第 9 号	地域安全活動	6,306
第 10 号	人権の擁護又は平和の推進を図る活動	8,859
第 11 号	国際協力の活動	9,604
第 12 号	男女共同参画社会の形成の促進を図る活動	4,878
第 13 号	子どもの健全育成を図る活動	24,246
第 14 号	情報化社会の発展を図る活動	5,828
第 15 号	科学技術の振興を図る活動	2,893
第 16 号	経済活動の活性化を図る活動	9,283
第 17 号	職業能力開発又は雇用機会拡充の支援活動	13,046
第 18 号	消費者の保護を図る活動	3,174
第 19 号	連絡、助言又は援助の活動	24,600
第 20 号	指定都市の条例で定める活動	241

出典：内閣府ホームページ

神道系	84,546 法人	46.90%
仏教系	76,970 法人	42.70%
キリスト教系	4,722 法人	2.60%
諸教	14,195 法人	7.90%
総数	180,433 法人	

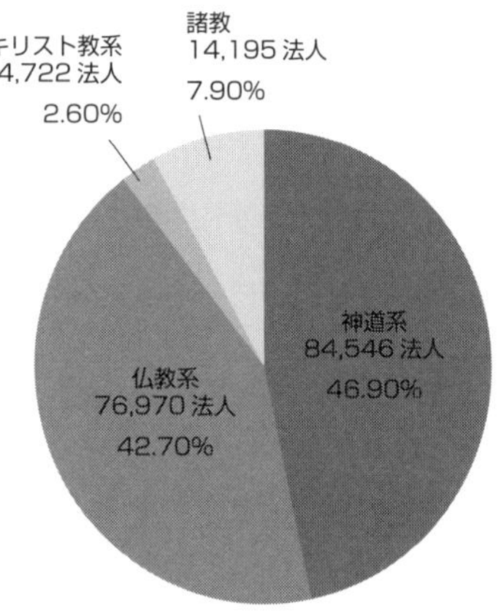

出典：「宗教年鑑」令和 2 年度　p.34

図 67　我が国の社寺教会等単位宗教法人数（令和元年 12 月 31 日現在）

第４節 「国民の“教育”は、まさに国造りそのもの、国のビジョンなくして真の“市民教育”は行い得ない」

戦後、教育改革は米国教育使節団の報告書をもとに行われた。1947年、戦前の教育勅語に代わって、「真理と平和を希求する人間の育成」をうたった教育基本法と学校教育法が制定された。義務教育が６年から９年に延長され、６・３・３・４制の新学制が発足した。また、国定教科書の廃止、教育委員会の設置などが行われ、教育の民主化が進んでいったのである。

基本法第１条（教育の目的）は、「教育は、人格の完成を目指し、平和的な国家及び社会の形成者として、真理と正義を愛し、個人の価値をたっとび、勤労と責任を重んじ、自主的精神に充ちた心身ともに健康な国民の育成を期して行わなければならない」とうたっている。

今日においても、全くその通りだ。

戦後の教育民主化は、“輸入品”とは言えその理想は高かった。

現実は、荒廃から立ち直り、経済立国を目指し先進国の仲間入りをするためには、全体の知育レベルを平均的に向上させることと、そして戦前の全体主義、家制度の反省から、個人主義を尊重し、公平な競争に重点を置いた。結果、学歴主義、出世主義の世相となり、“受験戦争”を生んだが、国民に競争目標を与え、社会を活性化させ、高度経済成長を支える基盤となったことも事実だ。

一方、国民のエネルギーはすべて“もの”の経済成長に注がれ、必ずしも、“こころ”の成長に目が向かなかった。家族の崩壊、「核家族化」の進展さらに都市化の進展で家庭の教育また地域コミュニティの教育は希薄化してしまった。

今や、教育の中心となった学校教育、

1947年制定された「学校教育法」では、小学校から大学までそれぞれの「教育の目標」が謳われており、「国家及び社会の有意な形成者」育成が使命とされている。そのためには知育、体育、情操育のバランスが必須であった。しかし現実には、限られた人と予算のなか、出来ることには限界があった。そして時代の風潮の中で、知育の平均的レベルを向上させることに傾注せざるをえなかったと言える。

学校教育は、教師、父兄、教育委員会（そして文部省）が三位一体となって協調推進するはずであった。しかし、事実は対立の構造となってしまった。国民全体の責任であろう。

中心的役割を担う教師、学校教育法制定の年に「日教組」が誕生した。

それから半世紀以上教職という使命より、“革新的”な政治社会運動と仲間の利益団体としての組合運動にエネルギーを注ぎすぎたと言わざるを得ない。

今日の“いじめ”や青少年犯罪の凶悪化、若い世代の幼児性や公衆道徳の希薄化さらに働く意欲を欠くニートやフリーターの出現、そして子供の教育に関心も自信も失った大人群 —— 最大多数から見れば、これは社会の一部かも知れないが、戦後の大きな「負の遺産」と言えよう。

さらに、ここ数十年の間に、第２節（格差社会）で述べたように「富」の格差が「教育の格差」を生み始めている。教育の平等は「最大多数の最大幸福」のための最初の前提である。

人の教育は、「国家百年の計」だ。

常に、国民全体で弛まなく議論し、目指すべき「国家ビジョン」に向って、真の“日本市民教育”を実現しなければならない。

どうする日本！

（日本維新）

1.「いつ」、「いかなる」教育を行うか、生誕から終末までの“生涯教育構想”を考える民主主義の基盤である“良き市民”育成の教育には、年代と環境に適した内容がある人は、棺桶に入るまで勉強しなければならない。常に啓蒙されることが、良き市民育成に欠かせない。

また、国民が学習、教育に関心が強ければ強いほど、社会は活性化する。

社会人になると、どうしても仕事中心の学習となるが、市民教育は常時必要である。さらに、長寿高齢化社会となり、棺桶までの時間が豊富である。最後まで良き“老人市民”として社会にアドバイスするためには、自らも生涯学習が必要である。

このためには、「いつ」、「いかなる」教育、学習が必要かを考え、言わばユビキタスな教育、学習環境をソフト、ハード両面で社会のあらゆる面に構築する。

なお、1973年OECDの「リカレント教育—生涯学習のための戦略」が公表され、国際的にも生涯教育が広く認識された。

2. 初等教育は、人間教育に重点を置く

良き市民育成のためには、まず人間教育が基盤である。人格形成が為されるまでに徹底して行わなければ間に合わない。

第1章第1節（誰が国を想うのか）で述べた米国公立小学校の逸話のように、「人間教育は、人格形成がなされた大人になってからでは遅いの」である。

「道徳教育、倫理教育」、この言葉、今日ではかなり薄らいでいるが、まだ、戦前の国家主義、全体主義の悪いイメージを想起させ、社会に拒否感がある。しかし、道徳教育は、社会の価値観、人間の尊厳を子供に伝え、それを実現できる人間形成の手段である。

言わば、良き社会人になるためのミニマム教育である。

そして、これこそ家庭、学校、地域が三位一体となって常時行わなければならない。

3. 高等教育は、将来の職業社会人になることを念頭に、ある程度専門性

のあるものとする —— また、その入門過程は、公平な競争による試験制度を経るものでなければならない

高等教育（特に大学教育）は、社会に出る直前の教育、社会に出て有意な教育に重点を置くべし。企業が一から再教育しなければならないようでは、国民経済的にも無駄である。

教授陣も、「読まれない論文」に傾注するのでなく、教育指導者としてもっと学生教育にエネルギーを注ぐべし。そして､それを“学会”で評価する。

日本の大学生は、世界的に見ても「遊び過ぎ」

さて、これはある私立学校（大学入試“トコロテン”）の話。父親が三学期の試験勉強をしている高三の息子に聞いた。「なぜ、今頃ギリシャのことばかり勉強しているのだ」。息子答えて曰く「１年間授業はギリシャのことばかり、あとは教科書を読んでろ、だって。先生は、今ギリシャ哲学の論文を書いているらしい」。

これも、他の私立学校の話。

高二の息子が、「今日は学校休みだ」と喜んでいる。父親が、どうしてだと質した。「警報が出たから全校休みなんだ」。外は雲一つない晴天、小学生がステップ踏んで登校している。一体どうなっているのだ。あとで分かった話だが、出たのは波浪警報。さすがの内陸にある高校も「警報による休校措置」は波浪警報を除く旨の通達を出した。

真剣さが足らないというか、気持ちが勉学の方に向いていない。

人間、本来怠慢なものである。“トコロテン”は、先生も生徒も駄目にする。

4. 家庭、学校、地域の三位一体の社会教育システムを確立する教育の場はあらゆる所にある。人間教育さらに生涯教育という観点からすれば、“ユビキタス”教育である。家庭、学校、地域のどれ一つ欠けても問題である。また、日常生活の継続性、一体性からすれば、この

３つの“場”のリンケージが重要である。

このシステムの確立には、教育委員会、PTA の既存組織の活性化が必要だ。この関係者は、名誉職的感覚を捨て、実質的に活動する人でなければならない。

学校、公民館、博物館、図書館等の公共教育施設は、地域教育、生涯教育のためもっと開放される必要がある。

三位一体リンケージの例として、米国の公立小学校では、毎月１回、クラスの父兄がやって来て、自分の職業について１時間話をするカリキュラムがある。こうしたアイデアはいくらでもある。

「怒る親父、うるさい母親、注意する隣人、説教する老人」の復活である。

5. 結果としての「教育格差」、この根源を排除しなければ、最大多数が最大幸福を得る「日本の将来ビジョン」は実現しない

教育格差とりわけ「学校間格差」は大きく分けて２つある。

総合選抜入試や“ゆとり”教育によって没落した公立校とハイレベルであるが学費も高い私立高の格差、もう１つはハイレベルな塾や予備校へ通うことができる都会とそれができない地方との格差である。

「どの親の元、どの地域に生まれたか」によって大きな格差が生まれる。

我が国のように最終学歴がその人の人生を左右する割合が大きいことを考えれば、教育格差は、世代を超えた格差の固定化につながる危険性が大きい。

第２節（格差社会）で述べた如く、教育費の無償化、軽減などあらゆる政策メニューを駆使して、「教育の格差」のない社会を実現しなければならない。

そのためには、税金を投入し、国民皆で「将来の日本人」を育てるのだ。

将来の少子化社会が必然であれば、国民経済的には、高齢化社会の

社会保障費の需要と異なり、教育費の総需要は減少していく。

（文部省図書局『聖訓ノ述義ニ関スル協議会報告書』（1940 年）より。明治天皇から勅語を賜った文部大臣が管轄する文部省自身による、「正式な現代語訳」とされる文章）

朕が思うに、我が御祖先の方々が国をお肇めになったことは極めて広遠であり、徳をお立てになったことは極めて深く厚くあらせられ、又、我が臣民はよく忠にはげみよく孝をつくし、国中のすべての者が皆心を一にして代々美風をつくりあげて来た。これは我が国柄の精髄であって、教育の基づくところもまた実にここにある。

汝臣民は、父母に孝行をつくし、兄弟姉妹仲よくし、夫婦互に睦び合い、朋友互に信義を以って交わり、へりくだって気随気儘の振舞いをせず、人々に対して慈愛を及すようにし、学問を修め業務を習って知識才能を養い、善良有為の人物となり、進んで公共の利益を広め世のためになる仕事をおこし、常に皇室典範並びに憲法を始め諸々の法令を尊重遵守し、万一危急の大事が起ったならば、大義に基づいて勇気をふるい一身を捧げて皇室国家の為につくせ。かくして神勅のまにまに天地と共に窮りなき宝祚（あまつひつぎ）の御栄をたすけ奉れ。かようにすることは、ただ朕に対して忠良な臣民であるばかりでなく、それがとりもなおさず、汝らの祖先ののこした美風をはっきりあらわすことになる。

ここに示した道は、実に我が御祖先のおのこしになった御訓であって、皇祖皇宗の子孫たる者及び臣民たる者が共々にしたがい守るべきところである。この道は古今を貫ぬいて永久に間違いがなく、又我が国はもとより外国でとり用いても正しい道である。朕は汝臣民と一緒にこの道を大切に守って、皆この道を体得実践することを切に望む。

明治 23 年 10 月 30 日
明治天皇自署、御璽捺印
御名（御実名「睦仁」）・御璽（御印鑑「天皇御璽」）−明治神宮崇敬会刊『たいせつなこと』より−

出典：Wikipedia

図 68　教育勅語　現代語訳 (文部省訳)

第二条　教育は、その目的を実現するため、学問の自由を尊重しつつ、次に掲げる目標を達成するよう行われるものとする。

一　幅広い知識と教養を身に付け、真理を求める態度を養い、豊かな情操と道徳心を培うとともに、健やかな身体を養うこと。

二　個人の価値を尊重して、その能力を伸ばし、創造性を培い、自主及び自律の精神を養うとともに、職業及び生活との関連を重視し、勤労を重んずる態度を養うこと。

三　正義と責任、男女の平等、自他の敬愛と協力を重んずるとともに、公共の精神に基づき、主体的に社会の形成に参画し、その発展に寄与する態度を養うこと。

四　生命を尊び、自然を大切にし、環境の保全に寄与する態度を養うこと。

五　伝統と文化を尊重し、それらをはぐくんできた我が国と郷土を愛するとともに、他国を尊重し、国際社会の平和と発展に寄与する態度を養うこと。

出典：文部科学省ホームページ

図 69　教育基本法第二条

第5節 「21世紀グローバル世界で伍していくためには、民族の国際化が必須、同質性の強い日本人が如何に国際化していくか。いや、しなければ」

民族の特性と文化は、その歴史的経験と風土によって決まる。第１章第６節（外交）でも述べた如く、我が国の外交が本格的に始まったのは、明治以降と言ってよい。全国民レベルで言えば、外国との接触は極めて少なく、国際化しにくい社会（民族）であった。

和辻哲郎『風土』、ハンチントン『文明の衝突』においても、日本人は世界の中で独自の位置づけをされている。

「島国」の人、そしてモンスーン地帯の風土の影響もあり、農耕民族の定住性を持ち、極めて強い「同質性」を持つ。故、常に“他”との比較を意識する“恥の文化”が定着し、これが日本人の国際化にとってマイナスの影響を与えているかも知れない。

世界の言語は、数千語あると言われている。その中で日本語は、バスク語、エスキモー語と同様にどの語族にも属せず、特異な位置づけである。

今日、世界で最も国際化した国は、

米国を始め英語を母国語とする国、民族と言わざるを得ない。今や、英語が国際共通語として世界を席巻している。言語自体はあくまでツール。しかし、これがなければ意思疎通ができない。また、今日の米国の存在が、英語を国際共通語としている理由の１つであろう。

言語が、その国、民族の国際化にとって極めて重要な要件となっていることは認めざるを得ない（今更、英語以外の言語が国際共通語となることは、第３次世界大戦でもない限り想像できない）。

さて、世界は政治、経済、社会あらゆる人間活動がグローバル化し、さらに情報技術の驚異的発展により、インターネットで結ばれた、いわば“国境なきヴァーチャル世界”が形成されつつある。

こうした急速な世界グローバル化に対応し、我が国の人、社会、果たして十分な国際化が進展しているであろうか。

どうする日本！

（日本維新）

1. 英語を“第二国語”として位置づけ、初等教育から習得させる

言語は文化の1つではあるが、あくまで意思疎通のツールである。しかし、これが使用できなければ事は進まない。国際共通語を習得することが、人の国際化の第一歩の要件だ。

それも、語学教育は5歳から10歳に行うのが最適と言われている。

日本語と英語を並行して学んでも、多少の弊害はあるにせよメリットの方がはるかに大きい。そんな国はたくさんある（インド、因みにインド人は英語を習得しているので、IT技術に先行出来たとも言われている）。

また、2か国以上の言語を話す国は多くあるが、だからと言ってその国の文化が廃ると言った話は聞いたことがない。

もし、我が国の多くの人が英語を自由に駆使出来れば、我が国の国際化はどれだけ進展した、いや、することか。

2. 海外留学の促進、また、海外子女教育の充実を図る

海外在住が人の国際化に寄与することは言を俟たない。意のある人が出来るだけ多く、それも教育課程で海外経験することは、国民の国際化を大きく前進させる。

日本人の海外留学生は約6万人（2017年）、世界の中で38位（2018年）である（中国99万人、インド38万人、ドイツ12万人、ベトナム11万人など）。

最近の若者は「内向き」で、外に出たがらないと言われる。この傾向の根底には、社会全体に「国際化の将来ビジョン」がないことにも起因する。

今、海外在留日本人は135万人、海外在住子女数は８万人を超える。多くの人が海外在留し易くするには、海外子女教育のインフラ（現地日本人学校及び帰国子女教育システム）の整備が重要である。

3. 良き隣人として在留外国人を迎え、我が国社会の国際化を図る

その社会の国際化度を測るとき、どの程度「在留外国人」がその国に在留しているかの指標を問われる。2018年で273万人（永住者77万人、留学生34万人、技能実習生33万人など）であり、これは総人口の約２％である（欧米諸国は、10％前後である）。

2019年の改正入管法により、建設や介護などの業種が新たに在留資格に加えられ、今後、在留外国人は増えていくだろう。

日本社会に、新しいエネルギーが注入されること、また人的国際化が推進されることを考えれば積極的に評価されるが、問題はその“質”である。「良き外国人に良き待遇」を保障する何らかの制度が必要である。

一方、日本人も「良き隣人」として迎える心構えが必要だ。

4. 多くの国民が外国人と接触する機会は、相互の観光である

外国人と接触する機会が多ければ、その国民は国際化する機会を多く持つ。「百聞は一見（触）にしかず」である。

我が国の海外旅行者は、2019年2000万人を超え、順調に伸びていると言えよう。

また、訪日外国人は、3000万人を超える伸びを示している（尤も、2020年のコロナ・パンデミックで、激的に減少しているが）。

今後、すう勢的にはコロナ・パンデミックの激震はあったにせよ、相互の観光は伸長するものと推測できる。

とくに“インバウンド”は、ここ数年は沈黙となろうが、日本の将来にとって単に日本人の国際化と言うだけでなく、日本の経済社会に大きな意義を持つ。

国民全体で、日本の“良い点”（第１編第１章第１節（ビジョン考察の前提）で述べた如く）を最大限活用し、世界の人々に「日本を理解」してもらわなければならない。

これこそ“草の根外交”、“草の根国際化”である。

表23　日本人学生留学状況調査結果比較（2004年度：2019年度）

単位：人

地域名＼期間	1か月未満			1か月以上6か月未満			6か月以上1年未満			1年以上			不明		計		
	2004年	2019年	倍数	2004年	2019年	倍数	2004年	2019年	倍数	2004年	2019年	倍数	2004年	2019年	2004年	2019年	倍数
アジア	1,664	33,437	20.1	919	4,689	5.1	1,324	2,292	1.7	174	273	1.6		145	4,081	40,836	10.0
中東	17	227	13.4	0	67		18	47	2.6	4	6	1.5		0	39	347	8.9
アフリカ	14	398	28.4	8	166	20.8	35	55	1.6	9	10	1.1		3	66	632	9.6
大洋州（オセアニア）	587	6,523	11.1	1,060	4,674	4.4	647	1,204	1.9	99	154	1.6		106	2,393	12,661	5.3
北米	1,947	15,267	7.8	2,267	7,066	3.1	2,488	4,260	1.7	246	642	2.6		227	6,948	27,462	4.0
中南米	23	356	15.5	36	208	5.8	98	177	1.8	11	19	1.7		5	168	765	4.6
ヨーロッパ	1,672	14,987	9.0	1,398	4,903	3.5	1,535	3,389	2.2	270	800	3.0		97	4,875	24,176	5.0
その他		68			39			138			20			202		467	
計	5,924	71,263	12.0	5,688	21,812	3.8	6,145	11,562	1.9	813	1,924	2.4		785	18,570	107,346	5.8

※倍数＝2019年÷2004年

出典：独立行政法人　日本学生支援機構より著者作成

表24　外在留日本人人口

	1970	1980	1990	2000	2010[1]	2019[1)2)]
アメリカ合衆国･･･	48	121	236	298	388	444
中国･････････････	…	6	8	46	132	116
オーストラリア･･･	2	5	15	38	71	104
タイ････････････	3	6	14	21	47	79
カナダ･･････････	4	12	22	34	54	75
イギリス････････	3	11	44	53	62	66
ブラジル････････	145	142	105	75	58	50
韓国････････････	1	3	6	16	29	46
ドイツ･･････････	4	14	21	25	36	45
フランス････････	2	7	15	26	27	41
シンガポール････	1	8	13	23	25	37
総数×･･････････	**267**	**445**	**620**	**812**	**1 143**	**1 410**
長期滞在者･･[3)]	63	194	374	527	759	891
永住者･･････[4)]	204	252	246	285	385	519

外務省領事局「海外在留邦人数調査統計」(2020年)、国立社会保障・人口問題研究所「人口の動向」により作成。1) イラクおよびアフガニスタンは含まず。2) シリアは含まず。3) 永住者を除く滞在期間3か月以上の日本人。ただし1970年は「非永住」。4) 当該在留国より永住権が認められている者で、日本国籍を所有している者。×その他とも。

出典：『日本国勢図会2018-19』 p.41

国名	人数	%
中国	778,112	26.95%
ベトナム	448,053	15.52%
韓国	426,908	14.79%
フィリピン	279,660	9.69%
ブラジル	208,538	7.22%
ネパール	95,982	3.32%
その他	649,863	22.51%
総数	2,887,116	100.00%

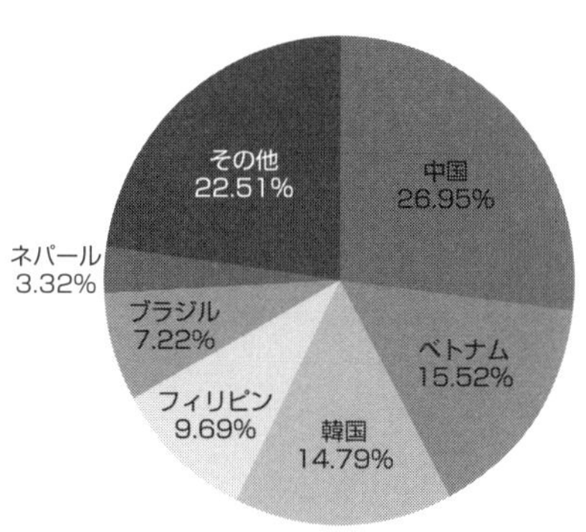

出典：法務省　在留外国人統計

図 70　国籍・地域別　在留資格（在留目的）別　在留外国人

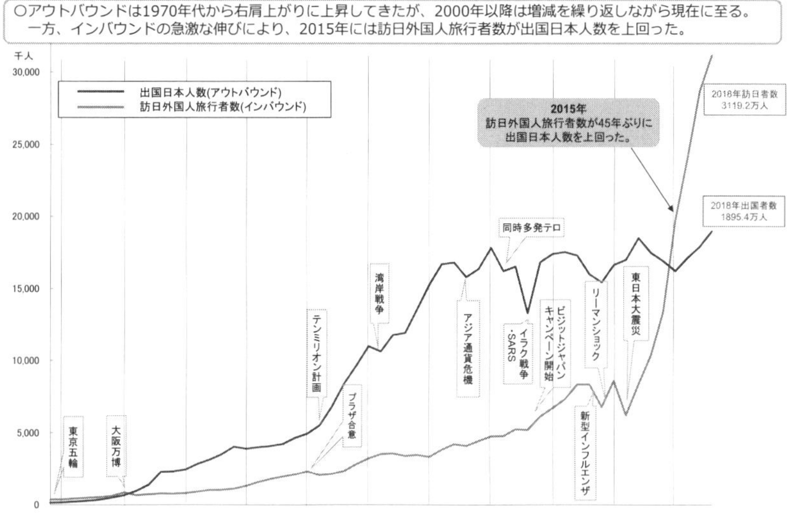

図 71　訪日外客数と出国日本人数の推移

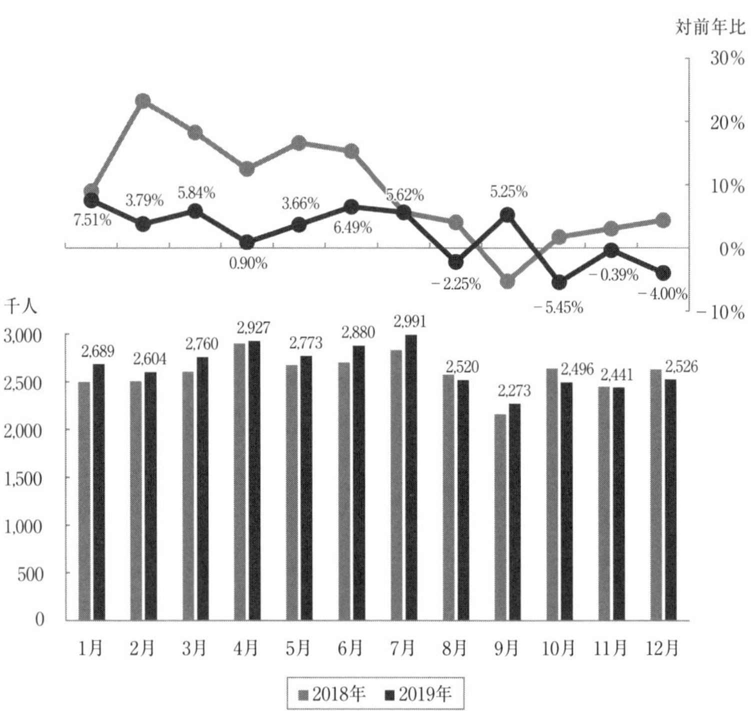

出典：日本政府観光局より作成

図 72　日本人出国者数

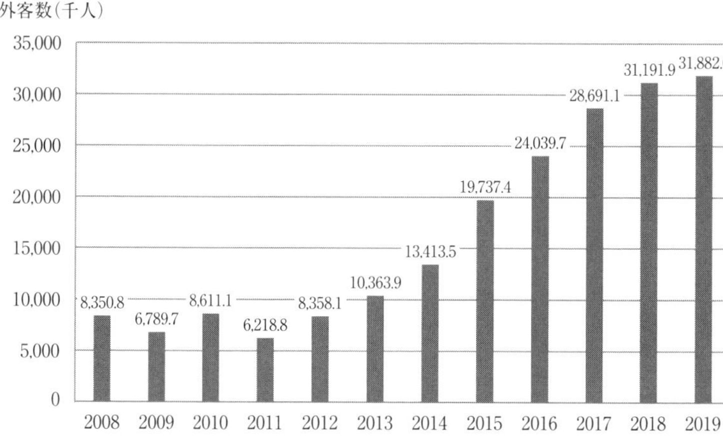

出典：日本政府観光局より作成

図73　訪日外客数2008年～2019年

第６節　「犯罪はその時代と社会を映す。その量もさることながら質が問題、迅速な裁判と犯罪発生防止に有効な刑罰が必要だ」

日本は“安全な国”というのは、世界で定着した評価である。

夜、女性が独り歩きできる。落し物は返ってくる。緊急事態でも集団による暴動はない。

2018 年の犯罪認知件数は、2002 年のピーク時に比べると３分の１となっている。

しかし、従来の窃盗犯等は減少しているが、時代を反映した「オレオレ詐欺」、ストーカー犯罪、児童虐待、そしてインターネットを利用した犯罪と、犯罪の質は急速に変化している。

これらの犯罪は、従来の貧困や怨恨といった原因のみでなく、現代社会の根底にあるあらゆる負の問題を浮き彫りにしている。

凶悪化、若年化、知能化、その原因は、

・個人主義と競争社会の行き過ぎによる敗者への思いやりの希薄化（格差社会）
・家庭の崩壊、地域社会の不存在など身近な人間関係（温かさ、優しさ）の希薄化
・社会に対する義務感（倫理、道徳）の喪失化
・若年層の身体的成長に伴った精神的成長の不足
・不良外国人の増加
・未だ、社会の“アンタッチャブル領域”の存在

などが挙げられる。

2004 年、我が国にも「裁判員制度」が導入された。

欧米諸国では、昔から確立されている。

市民参加による裁判、まさに「裁判の民主化」である。併せて審理期

間の短縮化も図る目的でもある。

しかし、制度発足15年以上、まだ“若い”と言えばそれまでだが、果たしてその意義は十分に効果を上げているだろうか。制度の趣旨の1つは「国民に裁判を通して市民意識を醸成してもらう」ことである。

かつて、ある特捜検事が言った。

「社会変革のため、政治家と官僚は表舞台でそれを行う、検事は裏舞台でそれを行う」

検察は、時代の流れをとらえ、その流れのゆがみを“裏舞台”から変えていく。過去の疑獄事件、時代を反映した犯罪取り締まり、「なるほど」と納得できることもある。しかし、最近の検察の動向を見るに、この「使命感」はあまり感じられない。

社会改革の問題認識の欠如なのだろうか。全てが「マネタリズム——今だけ、金だけ、自分だけ」の今日の社会風潮、裏舞台からの改革を期待したい。

どうする日本！

（日本維新）

1. 犯罪取り締まり、治安維持を社会全体で有機的に行い得る機能を充実させる

現在の警察職員は、中央と地方合わせて約30万人程度であるが、これが適正であるかという問題より、その機能を十分に発揮させる必要がある。

第1章第4節（地方制度）でも述べた如く、地方制度の抜本的改革とともに広域警察機能の推進が重要である。

また、警察活動が社会の犯罪の予防と治安の維持にあるとすれば、他の社会組織と連携して社会全体で警察機能の向上を図る必要がある。例えば、交通違反取り締まりに民間組織を活用するとか、地域自衛組織（町会の「火の用心」の復活など）とか、アイデアはいくらで

もある。一方、テロ対策等大規模な治安活動には、自衛隊との共同活動が必須であり、連携システムを常時確立する。

パンデミックのような社会の“緊急事態”に対応するためには、多くの国にあるような強制力を持った法制度（いわゆる“マーシャル法”的なもの）も必要だ。

2.「裁判員制度」の積極的活用により、審理期間の短縮を図るとともに、国民の“市民意識”醸成の大きな機会としてその意義を啓蒙する

審理期間が長ければ長いほど、犯罪予防のための「一罰百戒」の社会に対する効果は薄れる。ここ数十年審理期間は短縮しつつあるが、さらなる努力が必要だ（「忘れたころに罰せられる」では、社会的効果は薄い）。

「裁判員制度」で裁判員を経験した人は、2018年までの合計で6万6000人とまだまだ少数である。市民意識醸成のためには、何らかの方法で経験者からの国民に対する啓蒙の手段を創設する必要があるのではないか。

3.「罪と罰」、罪の刑事責任はもっときめ細かく、そして罰は再犯防止、社会への犯罪予防のためもっと厳しく有効に

人間社会は、ここ一世紀の間であらゆる面（寿命の長期化、家族等人間関係の変化、社会倫理の変遷等など）で急激に変化し、複雑化した。一方、刑事責任理論は、一世紀以上前にその原点がある。人間社会の変化に対応して、罪の種類、軽重、累犯性等に関し、もっときめ細かく「刑事責任」のとり方そして「罪」を決める必要があろう。

そして、「罰」。

これは、スイスでの話。

億万長者のどら息子が、ベンツで高速道路を時速300キロメートルですっ飛ばした。

「はい、スピード違反」、「はい、罰金100万ドル（約1億円）」

我が国であれば、「うそ」と言うところだが、「さ」にあらず。

「罰金」は、その違反者の所得、資産レベルで決める。そうでなければ、罰の「一罰百戒」の効果はない。「目からうろこが落ちる」かも知れない。

日本の罰則は、あまりにも画一的、矮小である。もっときめ細かく、犯罪防止に有効でなければならない。

4. 社会の“アンタッチャブル領域”を作らない

我が国には、現在約２万人の暴力団員、準構成員を含めて４万人弱と言われている。

最近では、外国人勢力と結託して麻薬、オレオレ詐欺などの新たな犯罪の根源になっていることは世に知られるところである。マスメディア等を活用し、社会全体で集団を撲滅させ、彼らを一般市民に戻す勇気が必要だ。

いわゆる“部落問題”も、タブー視せず皆で解決する気概が必要だ。本来、均質で単一民族社会、アンタッチャブル領域は存在しない。

また、戸籍制度も全廃するか、もし今日的意味があるとしても最小限に止め、その利用は厳しく管理されなければならない。

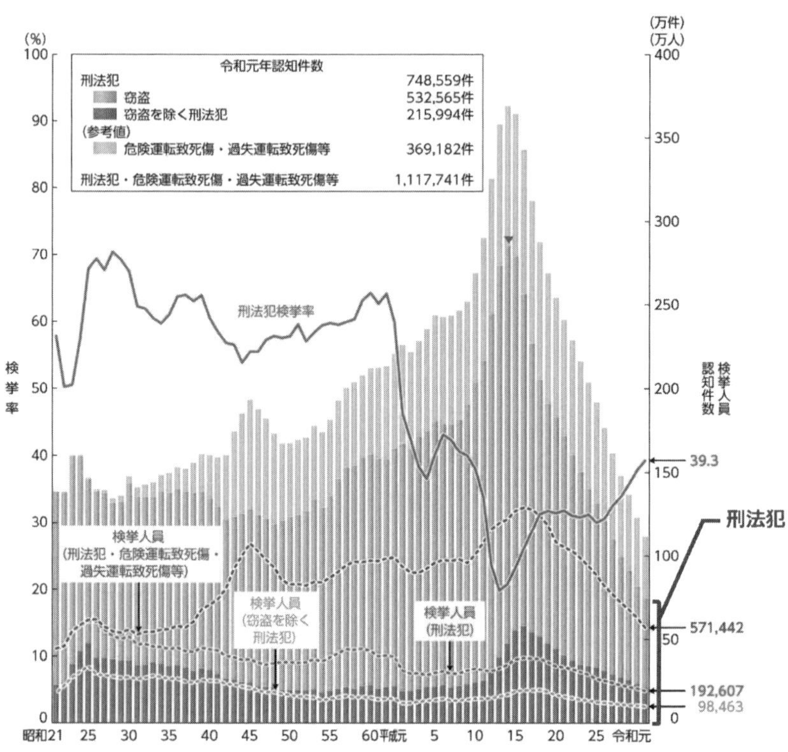

出典：法務省「犯罪白書の概要　令和２年版」

図 74　刑法犯　認知件数・検挙人員・検挙率の推移

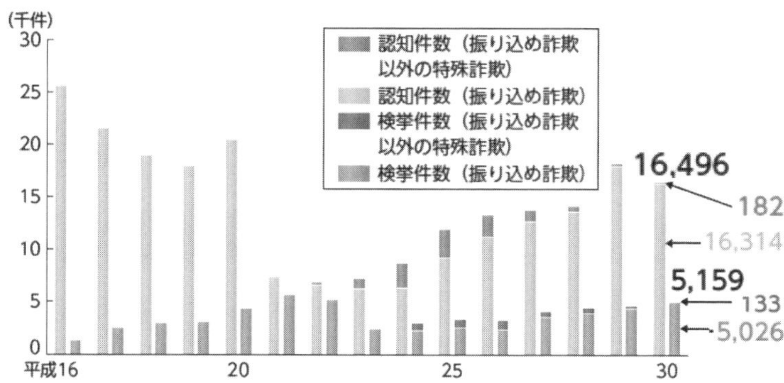

出典：法務省 「令和元年版犯罪白書のあらまし」p.2

図 75　特殊詐欺　認知件数・検挙件数の推移

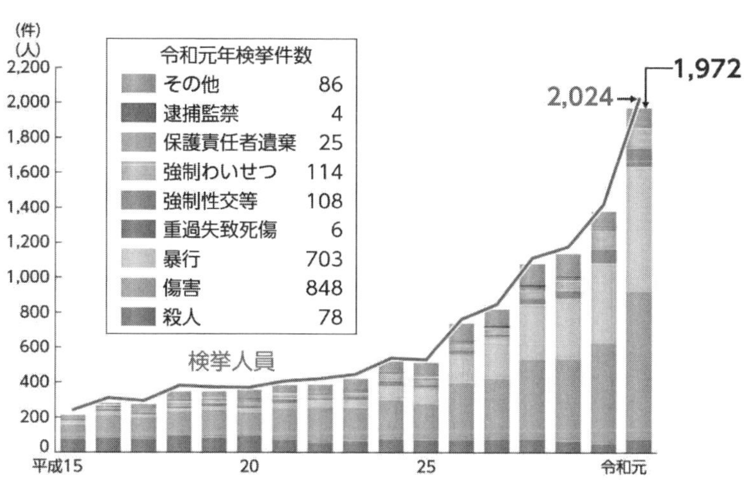

出典：『令和 2 年版犯罪白書』 p.2

図 76　児童虐待に係る事件 検挙件数・検挙人員の推移（罪名別）

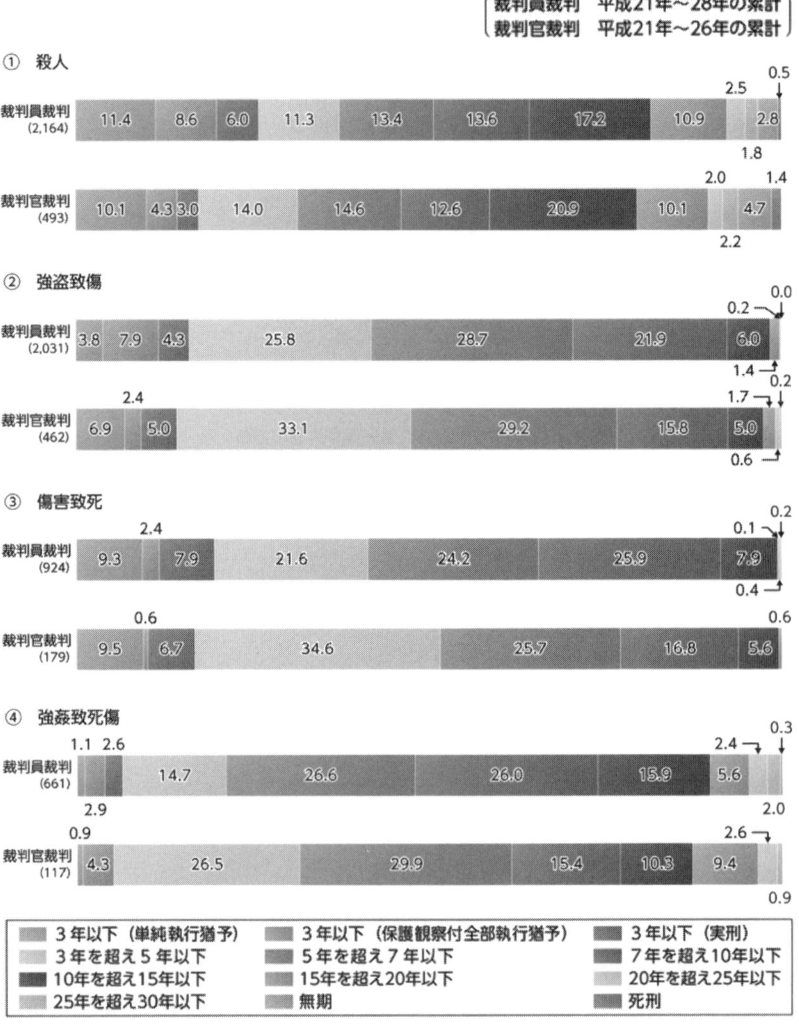

出典：『令和元年版犯罪白書概要版』p.8

図 77　裁判員裁判・裁判官裁判別の科刑状況別構成比（罪名別）

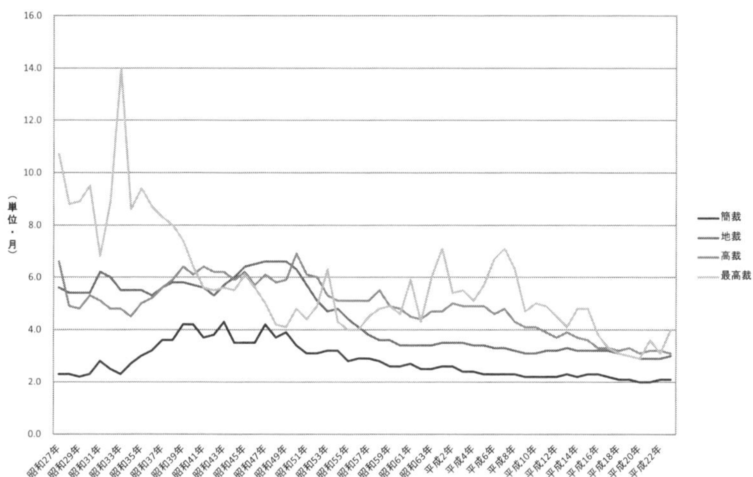

出典：法律文化社「刑事裁判統計」

図 78　平均審理期間の推移

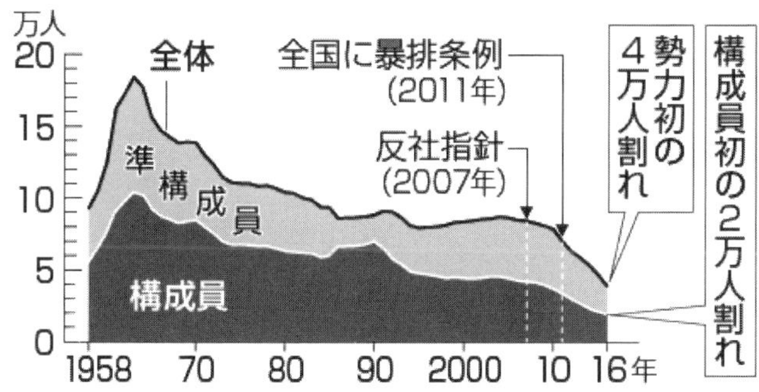

出典：時事ドットコムニュースより

図 79　暴力団勢力の推移

あとがき

私は、昭和20年（1945年）1月生まれ、文字どおり戦後の日本とともに人生を過ごしてきた。

大学卒業後、約30年間は公務員生活、約20年間は民間企業と公共的機関で過ごしてきた。この人生経験で、日頃“思う”こと、また、友人知人と雑談するとき、やはり国のこと、社会のことの話が多い。「10年後、30年後、今後日本はどうなるのだろうか」

実は、15年前（還暦を迎えたとき）、同じ思いで小冊子（話の種「どうする日本」一市民のマニフェスト、2006年9月・イデア出版局）を出版した。

日本を思い日本人を思う人達が、いろいろな場で話し合う世相の話題。政治、経済、社会各面にわたっているが、極めて一般的なものであり、市民が市井で日常雑談する「話の種」にするのにちょうど良いテーマを選んだ。

民主主義は、国民一人一人が「政治への参加の自覚と共通の知識」を持つことが、“大前提”であるからである。

それから15年、日本と世界の環境は大きく変わりつつある。

しかし、日本の現状は15年前とほとんど変わっていない。否、むしろ「衰退する国」への道を歩んでいるように思う。

21世紀の世界は、ますます不透明、不確実そして不安定な要因が増加している。

今、国民全体で議論し、この国の将来について早期に“国民の総意”を得る必要がある。

今般、15年前の小冊子を全面的に見直し、今後の「国家ビジョン」を素描し、そのための国家構造改革（“日本維新”）を具体的に提案してみた。一市民の提案である。

願わくは、読者の皆様の議論（話題）のきっかけにしていただければ幸甚の思いである。

先入観と誤解による感情と感覚の議論を避けるため、出来るだけ事実に基づいた話が出来るように、参考データを収集し、これを提示した。

データ編集にあたっては、堀越 修氏（機械振興協会企画班勤務）の多大なご協力を得た。

また、折に触れ、長男（武史）の助言を得た。

さらに、出版にあたっては、長田 高 ERC 出版社長、吉田 裕之 芝サン陽印刷社長、猿渡 恵氏、角田 鮎美氏他関係者の方々に多くのご協力とご支援を得た。

ここに、心から感謝申し上げたい。

2021 年 9 月
鳥居原 正敏

著者略歴

鳥居原（とりいはら） 正敏（まさとし）

1945 年　広島県呉市に生れる。東京大学法学部卒。
1967 年　通産省入省。以後、英国王立国際問題研究所客員研究員、
内閣官房内閣審議官、
外務省在アメリカ合衆国日本国大使館公使などの役職を歴任。
通産省退職後、㈱CSK 常務取締役等の役員、
独立行政法人原子力安全基盤機構の理事
㈶機械振興協会副会長

主な著書：
1987 年『INDUSTRIAL COLLABORATION WITH JAPAN』
The Royal Institute of International Affairs（共著）
2006 年　話の種『どうする日本』イデア出版局

日本維新論　－どうする日本－

2021 年 10 月 26 日　　初版　第 1 刷発行

著　　者　鳥居原　正敏
発 行 人　長田　　高
発 行 所　株式会社 ERC 出版
〒 107-0062　東京都港区南青山 3-13-1　小林ビル 2F
電話　03-3479-2150　　振替　00110-7-553669
印刷製本　芝サン陽印刷株式会社　　東京都江東区佐賀 1 -18-10

ISBN978-4-900622-66-1